AS 100 PIORES IDEIAS DA HISTÓRIA

As piores sacadas
da humanidade
**que se transformaram
nas melhores roubadas**

AS 100 PIORES IDEIAS DA HISTÓRIA

Michael N. Smith & Eric Kasum

Tradução Heloísa Leal

valentina
Rio de Janeiro, 2017
2ª Edição

Copyright © 2014 by Michael N. Smith e Eric Kasum
Direitos de tradução negociados com Taryn Fagerness Agency e Sandra Bruna Agencia Literaria, SL

TÍTULO ORIGINAL
100 of the worst ideas in history

CAPA
Raul Fernandes

DESIGN DE MIOLO
Equipe Sourcebooks

DIAGRAMAÇÃO
Imagem Virtual Editoração

Impresso no Brasil
Printed in Brazil
2017

CIP-BRASIL. CATALOGAÇÃO NA FONTE
SINDICATO NACIONAL DOS EDITORES DE LIVROS, RJ

S647c
2. ed.
    Smith, Michael N.
    As 100 piores ideias da história: as piores sacadas da humanidade que se transformaram nas melhores roubadas / Michael N. Smith, Eric Kasum; tradução Heloísa Leal. - 2. ed. - Rio de Janeiro: Valentina, 2017.
    256 p. : il. ; 23 cm.

    Tradução de: 100 of the worst ideas in history: humanity's thundering brainstorms turned blundering brain farts
    ISBN 978-85-5889-029-8

    1. Humorismo americano. I. Kasum, Eric. II. Leal, Heloísa. III. Título.

16-36534
CDD: 817
CDU: 821.111(73)-7

Todos os livros da Editora Valentina estão em conformidade com
o novo Acordo Ortográfico da Língua Portuguesa.

Todos os direitos desta edição reservados à

EDITORA VALENTINA
Rua Santa Clara 50/1107 – Copacabana
Rio de Janeiro – 22041-012
Tel/Fax: (21) 3208-8777
www.editoravalentina.com.br

A Phyllis, que me ajudou a me tornar um escritor melhor.
A Walt, que me ajudou a me tornar um profissional melhor.
A Debora e Drew, que me ajudaram a me tornar uma pessoa melhor.
Mike

A Marah, meu anjo e luz da minha vida.
A Ben e John, os filhos mais maravilhosos do mundo,
vocês me enchem de orgulho. E a meu pai, Michael,
que me proporcionou o sonho de escrever.
Eric

SUMÁRIO

INTRODUÇÃO: O QUE ESSA GENTE TINHA NA CABEÇA?	11
MANCADAS DE MATAR E TROPEÇOS HISTÓRICOS	13
Presidente Nada sem Nada e Acaba numa Enrascada	14
Por Que Dumbo Está Usando Botas de Alpinismo? (Nunca Faça Pouco do Passo do Elefantinho)	16
Chofer Confuso Começa Conflito Catastrófico	18
O Grande Salto Cai de Cara no Chão	20
Pague Agora ou Te Pego Depois	22
Golpe (de Ar) Derruba Presidente em um Mês	24
Sexta-Feira 13: A História de Terror Original	26
O 11 de Setembro Poderia Ter Sido Impedido num Vapt-Vupt	28
O Tiro do Assassino que Saiu pela Culatra	30
Claro, Ele Era um Saqueador Assassino, mas Pelo Menos a Gente Tem o Dia Livre	32
O Bom Livro a Casa Torna (com um Pequeno Atraso de 221 Anos)	34
Macacos me Mordam se esse Não Foi o Mico do Século	36
Se Você É Verde, Não Aperte o Botão Vermelho	38
A Cavalgada Manca de Paul Revere	40
Navio Negreiro Liberta o Movimento Abolicionista	42
ARTISTAS DESLUMBRADOS (PORÉM DESMIOLADOS)	45
Como Fazer uma Carreira Musical... *Da Boca pra Fora*	46
E.T. Telefona para a Mars... Mas Dá Fora da Área de Cobertura	48
Censura Fica Louca, Louca com "Louie Louie"	50
Lembre-se do Lado Burro da Força, Luke	52
Mãos ao Alto (ou Eu Canto)	54
Bochichos e Birutices de Britney	56
Olhe Só, Querida! Carlitos Veio Dormir Aqui em Casa	58
Licença para Matar (a Própria Carreira)	60
Tesouro de Capone se Transforma em Tédio na Tevê	62
Dinossauro Ajuda a Deixar Finanças de Ator à Beira da Extinção	64
Pete Faz Barbeiragens e Derrapa na "The Long and Winding Road"	66

Os Caçadores da Fama Perdida	68
Humorista sem Graça Cai... em Desgraça	70
Cafungando a Memória do Papai	72
Primo Eddie Gasta à Americana e Sai à Francesa	74
Dr. Dãããlittle	76
Mais de O Melhor do Pior: Falhou e Disse (ou Vice-Versa)	78

INVENÇÕES INEPTAS, PRODUTOS PATÉTICOS E SERVIÇOS SEM SENTIDO — 83

Gordurinha que Desce Fácil	84
Uma Ideia Matadora para Salvar Vidas	86
Aiii!!! Essa doeu	88
Mal na Fita	90
Eles Apostaram nos Pôneis... e Deram com os Burros n'Água	92
Reta-Dardo	94
Uma Maneira Estúpida de Avaliar a Inteligência	96
Bobeou... Sambou	98
Nova Coca Perde Todo o Gás Já no Lançamento	100
Uma Calamidade Púbica	102
WD-528.000.000.000	104

POLÍTICOS POLITICAMENTE INCORRETOS — 107

Iate Afunda... Campanha Presidencial	108
Fita Adesiva Deixa Espertalhão Todo Enrolado	110
Sua Ilustríssima Excelentíssima Majestade Presidencial dos Estados Unidos	112
Uma Ideia do Peru Acaba Depenada (Quem Dá Graças por uma Ideia Dessas?)	114
Mão Fechada, Carta Idem	116
A Ponte para Lugar Nenhum	118
Perdeu o Encontro e Encontrou Deus	120
Quando os Políticos Faturam ao seu Bell-Prazer	122
E Agora, Presidente Bill(au)?	124
Leiam Meus Lábios: Não Haverá Novos Impostos (Até Eu Mudar de Ideia)	126
Ignore Aquela Montanha Explodindo e Vote em Mim	128
Pagou a F*** com Cheque e Se F****	130
A Verdade sem Maquiagem: Essa É Minha Cara Mesmo	132
Mais de O Melhor do Pior: Dez Péssimas Ideias na História do Cinema	134

BOLA FORA: PONDO A INTELIGÊNCIA PRA ESCANTEIO — 141

    Uma Decisão de Boston Leva Bambino a Rogar uma Praga — 142

    Primeira Descida... para o Fracasso — 144

    Entrou com Tudo e Saiu Mordido — 146

    Racistas Go Home... e Correndo! — 148

    Ciclista Dopado Derrapa em Poça de Mentiras — 150

    O Pior Amigo do Homem. Quer Dizer, do Cão — 152

    Disco Inferno Chamusca o White Sox — 154

    Ele Vai te Deixar no Bagaço — 156

ESTRATÉGIAS DE GUERRA QUE FORAM VERDADEIRAS BOMBAS — 159

    Uma Guerra no Iraque por um Motivo de Araque — 160

    Um Único Torpedo Afunda a Imagem do Terceiro Reich — 162

    Haja Garbo para Enganar o Führer! — 164

    Invadir a Rússia no Inverno É uma Tremenda Fria — 166

    Kebraru Akara — 168

    O Coronel Rall Não Foi um Bom Menino — 170

    Incendiárias Táticas Bélicas de César Deixam Historiadores Fumegando de Raiva — 172

    O Melhor General da América Leva um Tapa na Cara — 174

    Mais de O Melhor do Pior: Bolsadas na Moda — 176

UMA SAUDÁVEL DOSE DE BURRICE — 179

    A Profissão Mais Doida do Mundo É de Tirar o Chapéu — 180

    Aceita um Copinho de Gripe? — 182

    Um Produto Dentário que Pode Fazer Você Sorrir Amarelo — 184

    Azulão Deixava Lincoln Doidão (Calma, Não É o que Você Está Pensando) — 186

    A Cura Hipocrática *à la* Drácula — 188

    Ignorância em Ponto de Bala — 190

    O Amálgama Dental que Deixa Qualquer um de Boca Aberta — 192

ELES ESTÃO NO NOTICIÁRIO (E FORA DA REALIDADE) — 195

    Superfiasco, no Balão Mágico... — 196

    Capitalismo Boçal Envenena Bhopal — 198

    Onde Comem Seis... Comem Catorze — 200

    O *Ugh!* do Milênio — 202

    Comendo o Big Mac que o Diabo Amassou — 204

Oprah Segura os Caubóis pelos Chifres 206
Vocês que se Madoff!* (*Leia a Palavra de trás para Frente) 208
Esses Lobistas Não Estão Regulando Bem 210
Mais de O Melhor do Pior: Que Diabos Eles Tinham na Cabeça? 212

IDEIAS DE JERICO POR TERRA, ÁGUA E AR 217

Faça um Test-Drive no Luxuoso Ford "Chupa-Limão" 218
Um Passatempo Desenfreado para Quem Não Sai dos Trilhos 220
Ah, a Obtusidade! 222
Como É que um *Schettino* desses Chega a Capitão? 224
Ferrando a Raça Através da Fumaça 226
Tem Preto, Preto e... Se Você Preferir, Preto! 228
Só É Bom Parado 230
Ambição Cega (Quer Dizer, Caolha) 232
O Pior do Pior: Titicanic 234

CIENTISTAS LOUCOS E OS MONSTROS QUE ELES CRIAM 237

Alguém Precisa Botar Esse Sapo em Cana! 238
Eles Devem Ter Fumado Erva Quando Fizeram Esse Acordo Daninho 240
De Olhos Bem Fechados (ou *Petróleos* Bem Abertos) 242
O Ataque dos Frankenpeixes 244
O Pesticida Homicida 246
Mais de O Melhor do Pior: Más Ideias que se Tornaram Ótimas 248

AGRADECIMENTOS 251

SOBRE OS AUTORES 253

INTRODUÇÃO

O QUE ESSA GENTE TINHA NA CABEÇA?

Existem joias lapidadas da burrice humana que são de valor incalculável. Verdadeiras obras-primas da imbecilidade. De uma estupidez fortalecida por esteroides usando um gigantesco chapéu de burro com uma única palavra bordada: *Dãã*.

São ideias de uma idiotice colossal, constrangedora e muitas vezes risível que saltaram das sinapses em curto-circuito de alguns dos cérebros mais brilhantes (ou, digamos, mais opacos) do mundo, agora devidamente catalogadas aqui como *As 100 Piores Ideias da História*.

Saídas do mundo da política, da cultura popular, das relações internacionais, das finanças, dos negócios, dos esportes, do entretenimento e das notícias – do passado distante e próximo –, esses laivos lamentáveis deram início a guerras, afundaram países, derrubaram empresas, destruíram carreiras, torraram milhões, ameaçaram a Terra e fizeram o pai ou a mãe da ideia corar de vergonha, do mesmo modo como, digamos, *seu* pai ou *sua* mãe vai corar quando souber que você gosta de vestir seu pitbull como um Backstreet Boy.

Nessa divertida e alucinante viagem pelos trancos e barrancos da mente humana, iremos:

★ **Conhecer o presidente dos Estados Unidos que começava o dia nadando pelado no rio Potomac.**

★ **Experimentar o "produto de higiene dental" que podia apodrecer seus dentes.**

★ **Deleitar os ouvidos com uma dupla musical de sucesso que não sabia cantar.**

★ **Provar o delicioso novo biscoitinho que podia causar diarreia.**

★ **Dar um pulo na cadeia de restaurantes cujo nome era um termo depreciativo para afro-americanos.**

★ **Encontrar o famoso arqueólogo cuja descoberta do "elo perdido" não passou de uma mandíbula de macaco colada a um crânio humano.**

★ **E muito mais (de muito menos).**

Temperado com inúmeras fotos informativas e divertidas, uma análise dos desdobramentos da furada e "reflexões posteriores" para ampliar sua compreensão, esta coleção dos pensamentos mais exponencialmente desastrados (e desastrosos) da nossa espécie ilustra como as ideias de ontem – das mancadas mais cômicas às mais bizarras, passando pelos clássicos do inacreditável – continuam a ter consequências em nossas vidas hoje.

Sem maiores preâmbulos e sem ordem específica, aqui vão as 100 sacadas mais "geniais" da história que se transformaram em verdadeiras roubadas!!!

MANCADAS DE MATAR & TROPEÇOS HISTÓRICOS

Presidente
NADA SEM NADA E ACABA NUMA ENRASCADA

a MÁ IDEIA:
Começar o dia nadando pelado no rio Potomac.

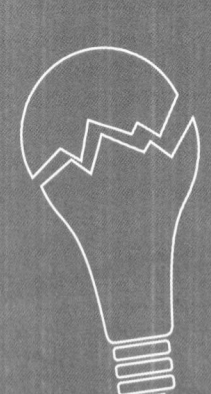

o gênio por TRÁS DELA: John Quincy Adams, presidente dos EUA

a sacada ACONTECEU: 1825

resumo da ÓPERA:

Quase meio século depois de George Washington colocar um tricórnio na cabeça, cruzar corajosamente o rio Delaware e derrotar os casacas-vermelhas britânicos, o Presidente John Quincy Adams fica pelado como veio ao mundo, sai dando suas braçadas pelo rio Potomac e deixa seu país vermelho de vergonha.

Dando à expressão "aqualouco" um novo significado, todas as manhãs Adams vai de fininho até a margem do rio, se despe discretamente e em seguida faz a festa entre os patos e gansos locais – o tempo todo pelado, feito Adão no Paraíso.

de mal A PIOR:

A repórter Anne Royall, ao saber das aventuras aquáticas *au naturel* de Adams, esconde-se entre os arbustos à margem do Potomac e dá um flagra no incauto presidente. Aproveitando para pegar a cueca do comandante em chefe, ela a mantém em seu poder até Adams concordar, a contragosto, em lhe conceder a tão esperada entrevista.

Embora a entrevista corra (ou "nade"?) muito bem – e Royall prometa manter os mergulhos diários em segredo –, outros repórteres acabam descobrindo suas audaciosas escapadas e o expõem (por assim dizer), para grande constrangimento dele (e da nação).

deu no que DEU:

O vexame não ajuda em nada a promover a agenda política da administração Adams. Ele é derrotado em peso por Andrew Jackson ao tentar se reeleger em 1828. No fim, o eleitorado, diante da credibilidade cada vez mais comprometida de Adams (e do seu traseiro flácido), conclui: "O imperador está nu."

reflexões POSTERIORES:

Dizia-se que Benjamin Franklin e o Presidente Teddy Roosevelt também se amarravam em nadar nus em pelo. Mas a mídia nunca flagrou nenhum dos dois, digamos, com as calças arriadas.

Por que DUMBO ESTÁ USANDO BOTAS DE ALPINISMO?
(NUNCA FAÇA POUCO DO PASSO DO ELEFANTINHO)

a MÁ IDEIA: Afirmar que elefantes não podem subir os Alpes.

os gênios por TRÁS DELA: Generais romanos em guerra com o exército cartaginês

a sacada ACONTECEU: 218 a.C.

resumo da ÓPERA:

Na brutal guerra entre Roma e Cartago, os cartagineses empregam o que pode ser considerado como o extremo oposto de uma arma secreta: elefantes enormes, cinzentos, verdadeiros maciços de cinco toneladas.

Invadindo a Gália (a atual França) com mais de 50 mil soldados e 37 paquidermes, as tropas de Aníbal causam um terror sísmico e trepidante na infantaria inimiga, enquanto avançam em direção à cidade de Roma.

de mal A PIOR:

Mas os altíssimos e traiçoeiros Alpes estão no caminho de Aníbal. Os superconfiantes líderes do exército romano garantem ao imperador que as forças cartaginesas jamais, nem em mil anos, conseguirão fazer com que os elefantes atravessem as montanhas. Que todos saibam: Roma é segura.

Mas Aníbal e seus homens enfrentam a neve cegante e a inclemente angulosidade dos Alpes – perdendo metade do exército e quase todos os elefantes –, para descer, praticamente sem qualquer oposição, no luxurioso vale do rio Pó.

deu no que DEU:

Tendo alcançado a Itália a duras penas, Aníbal destrói mais de vinte legiões romanas (maiores e mais bem equipadas), enquanto saqueia 400 cidades em uma investida de 16 anos pelo território inimigo. A cidade de Roma, obviamente, está em suas mãos. Mas Aníbal jamais chega a dar a ordem de atacar, um mistério que permanece sem explicação.

reflexões POSTERIORES:

As aventuras de Aníbal, esse gênio tático transcendental, são leitura obrigatória nas academias militares de hoje. Ele foi estudado por inúmeros comandantes, de Napoleão ao General George Patton e o General Norman Schwarzkopf, que utilizou suas estratégias diversionárias na primeira Guerra do Golfo.

CHOFER CONFUSO *começa* CONFLITO CATASTRÓFICO

a MÁ IDEIA: Levar de carro o futuro líder do seu país até debaixo do nariz de um assassino.

o gênio por TRÁS DELA: Leopold Lojka, motorista de limusine

a sacada ACONTECEU: 28 de junho de 1914

resumo da ÓPERA:

Escondido no banco traseiro de sua limusine conversível Double Phaeton, o Arquiduque Franz Ferdinand, herdeiro do trono do Império Austro-Húngaro, acaba de sair de uma reunião com membros da comunidade, e agora segue *discretamente* pelas ruas de Sarajevo, na Bósnia.

E ele tem boas razões para isso: poucas horas antes, o arquiduque escapou por um triz de um atentado a granada. Mais de 20 mil pessoas que o saudavam à sua passagem ficaram feridas na explosão. Esperando visitar as vítimas e oferecer condolências, Ferdinand instrui o motorista, Leopold Lojka, a se aventurar por um bairro infestado de anarquistas sérvios e se dirigir ao hospital local. Lojka obedece, mas, por engano, entra num beco barra-pesada.

de mal A PIOR:

Gavrilo Princip, um militante do grupo terrorista sérvio Mão Negra, mal consegue acreditar na sua sorte. Ao sair de uma cafeteria próxima – decepcionado porque a granada de seus coconspiradores não atingiu o alvo horas antes –, eis que de repente, para seu total espanto, ele vê Ferdinand passar bem à sua frente.

Aproveitando a oportunidade, Princip saca seu revólver, corre até o carro desprotegido e mata o arquiduque com um tiro.

deu no que DEU:

A decisão de Lojka de escolher o caminho menos óbvio entregou de bandeja o arquiduque ao assassino – e acendeu o barril de pólvora que explodiu na Primeira Guerra Mundial.

reflexões POSTERIORES:

No total, 16 conspiradores são julgados e condenados pelo assassinato de Ferdinand. Princip morre de tuberculose na prisão quatro anos depois. Vinte e quatro milhões de pessoas perdem a vida na guerra.

O GRANDE SALTO CAI DE CARA NO CHÃO

a MÁ IDEIA: A tentativa de transformar um país com uma economia agrária milenar – praticamente da noite para o dia – em um líder mundial na produção de aço com fornos de fabricação caseira.

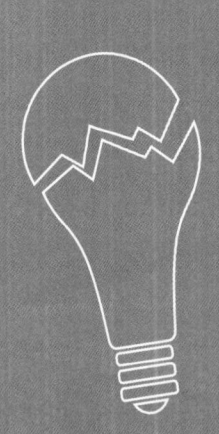

o gênio por TRÁS DELA: Mao Tsé-tung, líder do Partido Comunista chinês

a sacada ACONTECEU: 1956

resumo da ÓPERA:

Como a Segunda Guerra Mundial demonstrou, os países com maior poder industrial agora detêm o maior poder *internacional*.

Reconhecendo esse fato da vida globalizada – e também o de que a economia agrária de subsistência da nação o mantém numa baixa posição em termos de proeminência –, Mao decide, em 1956, que a China precisa parar de cultivar alimentos e começar a abrir fábricas.

de mal A PIOR:

Durante seu "Grande Salto", são criadas mais de 23 mil fábricas de aço em comunas. Fornos de fabricação caseira são empregados para *derreter* utensílios de cozinha, velhas peças de maquinaria agrícola e qualquer coisa de metal que esteja dando sopa, em um esforço frenético para alcançar ambiciosas quotas na produção de aço. Mas o resultado é irregular, e a qualidade, pobre.

deu no que DEU:

Previsivelmente, com a atenção do país concentrada no aço, a produção agrícola despenca vertiginosamente. Com 680 milhões de bocas famintas para alimentar, a fome se instala. Estimativas conservadoras calculam que o número de mortes tenha ficado na casa dos 20-25 milhões. Em 1961, a contragosto, Mao põe fim ao desastroso experimento. Os agricultores que haviam se transformado em fabricantes de aço voltam aos seus campos, agora incultos, para começar o árduo processo de tentar retomar seu velho meio de subsistência.

reflexões POSTERIORES:

Na esteira do Grande Salto, cresce o descontentamento com a liderança de Mao. Em resposta, ele dá início a um brutal programa de repressão conhecido como a Revolução Cultural, para escândalo dos defensores dos direitos humanos no mundo inteiro. Ironicamente, hoje a China é o maior produtor e consumidor de aço, e também a potência industrial com a maior taxa de crescimento da Terra.

PAGUE AGORA ou TE PEGO DEPOIS

a MÁ IDEIA: Recusar-se a pagar os mercenários que protegem seu reino.

o gênio por TRÁS DELA: Vortigern, rei dos bretões

a sacada ACONTECEU: Século V d.C.

resumo da ÓPERA: Os selvagens e cabeludos visigodos acabam de saquear Roma. A Cidade Eterna está merecendo mais o nome de *Atrocidade Eterna*.

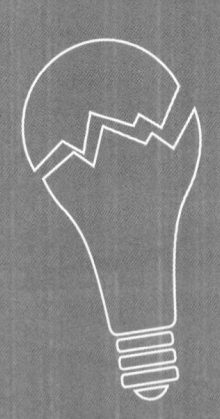

Enquanto o derrotado exército romano se retira das ilhas da Bretanha (a Grã-Bretanha atual), Vortigern, o ardiloso chefe tribal dos bretões, tenta preencher a vaga e malandramente contrata mercenários saxões (leia-se alemães) para impulsionar sua ascensão ao trono. Mas, assim que consegue ocupar o dito-cujo, Vortigern declara altivamente que não precisa pagar aqueles mercenários chatos – afinal, ele agora é o rei onipotente.

de mal A PIOR: Manchete: MERCENÁRIOS SANGUINÁRIOS NÃO GOSTAM DE LEVAR CALOTE. Previsivelmente, eles se voltam contra o ex-benfeitor. Hengist e Horsa, dois mercenários veteranos (e irmãos gêmeos), levam as forças saxônicas a dizimar o exército (sem mercenários) de Vortigern, e reivindicam uma boa fatia do seu reino.

Conta a lenda que, em seguida, Hengist e Horsa atraem 100 dos mais poderosos conterrâneos de Vortigern para assinarem um "tratado (ou seria um picado?) de paz", onde cada um deles é cortado em pedaços, episódio que se tornará conhecido como "A Noite das Facas Longas". Vortigern consegue escapar, fugindo para rincões desconhecidos.

deu no que DEU: Com o trono da ilha conquistada por Vortigern agora desocupado e desprotegido, hordas de alemães se aventuram pelas águas do Mar do Norte para reivindicá-lo, assim infundindo para sempre um caráter nitidamente anglo-saxônico na tradição, na cultura e no idioma bretões.

reflexões POSTERIORES: Hoje, em grande parte graças ao tropeço de Vortigern, britânicos, norte-americanos e quase todo o mundo civilizado falam um idioma, derivado da Anglia, uma região da Alemanha, conhecido como *inglês*.

GOLPE (de ar) DERRUBA PRESIDENTE em um mês

a MÁ IDEIA:
Ignorar o frio de rachar em Washington, D.C., e se recusar a vestir um sobretudo na cerimônia de posse.

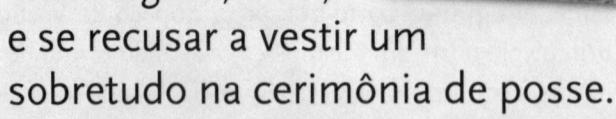

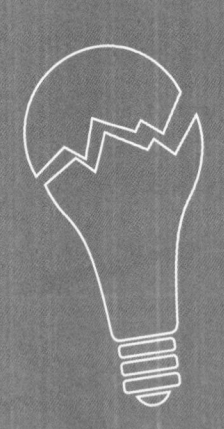

o gênio por TRÁS DELA: William Henry Harrison, nono presidente dos EUA

a sacada ACONTECEU: 4 de março de 1841

resumo da ÓPERA:

Em matéria de líderes militares durões, William Henry Harrison é uma mistura de Rambo, General Patton e um boneco G. I. Joe. Famoso por sua astúcia estratégica contra os índios ao liderar o exército dos EUA na Batalha de Tippecanoe, o célebre General Harrison – mais tarde governador do território de Indiana, e na época senador por Ohio, antes de vencer a eleição presidencial de 1840 – é conhecido por sua mente engenhosa, com um talento natural para o pensamento tático. Isto é, até o dia em que ele tomou uma decisão... *estupidamente gelada*.

de mal A PIOR:

O homem mais velho a ser eleito presidente até então, Harrison, de 67 anos, decide demonstrar sua saúde de ferro ao comparecer à cerimônia de posse – que ocorreu ao ar livre, num frio e chuvoso dia de março – sem usar chapéu, nem sobretudo.

deu no que DEU:

Na verdade, o presidente enregelado e ensopado faz o mais longo discurso de posse da História (quase duas horas), antes de percorrer as ruas de Washington em um demorado desfile. Previsivelmente, ele pega uma gripe forte. Três semanas depois, contrai pneumonia e pleurisia. Uma semana depois, morre – tendo sua administração durado apenas 31 dias, o mais curto mandato presidencial da História dos EUA.

reflexões POSTERIORES:

No que diz respeito às turbulentas águas econômicas daquela era – com os norte-americanos ainda sob o efeito do pânico financeiro de 1837 e 1839 –, a canoa do velho Harrison virou... e afundou. Primeiro líder da nação a morrer durante o mandato, ele deixa a esposa sem um tostão. O Congresso, mais tarde, aprova o projeto de conceder à viúva uma pensão (equivalente a 500 mil dólares hoje) – além de isenção de despesas postais pelo resto da vida.

SEXTA-FEIRA 13: *A História de* TERROR ORIGINAL

a MÁ IDEIA: Ordenar que os Cavaleiros Templários sejam presos, torturados e queimados vivos.

o gênio por TRÁS DELA: Rei Filipe IV da França

a sacada ACONTECEU: 13 de outubro de 1307

resumo da ÓPERA:

O Rei Filipe tem uma profunda dívida com os Cavaleiros Templários, um grupo de cruzados cristãos que se tornaram extraordinariamente ricos e influentes durante seu reinado.

Numa tentativa de reconquistar sua preeminência real (e quitar a dívida crescente), o rei, na sexta-feira 13, manda prender os cavaleiros sob a acusação de negarem o Cristo, praticarem a idolatria e cuspirem no crucifixo. Confissões são extraídas por meio de tortura. E cada um deles é sentenciado a uma morte horrível na fogueira.

de mal A PIOR:

Dizem que, enquanto as chamas devoravam seu corpo, o Grão-Mestre da Ordem dos Cavaleiros Templários, Jacques de Molay, rogou uma praga para o Rei Filipe IV e o Papa Clemente V (que estavam mancomunados na trama contra os Templários).

deu no que DEU:

A praga parece funcionar: o Rei Filipe e o Papa Clemente morrem no espaço de um ano. Os dois filhos de Filipe também falecem, relativamente jovens, sem deixar herdeiros do sexo masculino. Em 1328, a linhagem do rei está extinta – e a fortuna que lhe restou, esgotada.

reflexões POSTERIORES:

Segundo o historiador Nathaniel Lachenmeyer, autor do livro 13, desde a praga aparentemente bem-sucedida de Jacques de Molay, tanto a sexta-feira 13 quanto o número têm sido considerados azarados. Quer uma prova? Tente encontrar o décimo terceiro andar em qualquer prédio comercial ou hotel mais antigo: o andar sinistro raramente está lá.

O 11 DE SETEMBRO PODERIA TER SIDO IMPEDIDO NUM *Vapt-Vupt*

a MÁ IDEIA: Proteger a privacidade de um suspeito estrangeiro recusando-se insistentemente a abrir seu notebook confiscado.

o gênio por TRÁS DELA: A política de privacidade do FBI

a sacada ACONTECEU: 16 de agosto de 2001

resumo da ÓPERA: Agindo com base no aviso de um apreensivo instrutor de voo, agentes do FBI e do INS dão uma dura num estudante franco-marroquino em Minnesota, prendendo-o por violar as leis de imigração. Curiosamente, em seu poder são encontrados um notebook, duas facas, manuais de pilotagem do Boeing 747 e informações sobre pulverização de culturas.

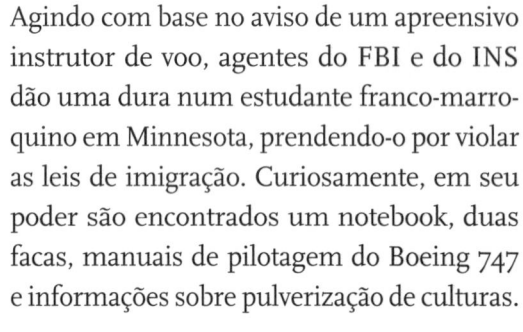

Um dos agentes do FBI a efetuar a prisão, Harry Samit, pede permissão a seus superiores para investigar o conteúdo do notebook confiscado. A resposta deles, alegando questões de privacidade: "Permissão negada."

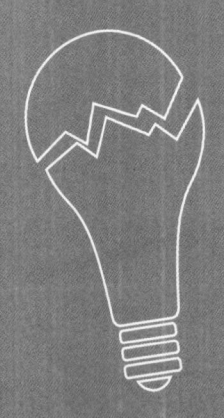

de mal A PIOR: Temendo que o suspeito tenha intenções nefastas, o escritório do FBI em Minnesota envia dezenas de comunicados ao alto escalão do FBI, solicitando acesso ao computador. Solicitação negada.

A agente Colleen Rowley lança um apelo para fazer uma busca no apartamento do suspeito. Apelo negado. Frustrado, Samit pede à central do FBI que forneça as informações sobre o notebook ao Serviço Secreto para maiores investigações. O pedido é... adivinhou!

de mal A PIOR: Tragicamente, apenas três semanas após a prisão do suspeito, as torres do World Trade Center desabam, vítimas de um ataque kamikaze moderno. Quase 3 mil pessoas são mortas em um trio de atentados terroristas, em Nova York, em Washington, D.C. e na Pensilvânia.

É somente depois desses ataques que os chefões do FBI permitem que o controverso computador seja analisado. Nele um pesadelo se torna real: os nomes e os números de telefone da cadeia de comando inteira da al-Qaeda, detalhes da trama do atentado de 11 de setembro ao World Trade Center, além dos nomes de vários dos 19 sequestradores.

deu no que DEU: O notebook pertence a Zacarias Moussaoui, que, se não tivesse sido preso, teria sido o vigésimo sequestrador. E, se o notebook tivesse sido analisado antes, a tragédia poderia ter sido evitada.

reflexões POSTERIORES: Pelo papel que desempenhou no pior atentado terrorista em território norte-americano de todos os tempos, Moussaoui é condenado à prisão perpétua no Colorado. Em outubro de 2001, a Lei Patriótica é aprovada, concedendo às autoridades policiais acesso mais fácil às informações pessoais de estrangeiros suspeitos.

O TIRO DO ASSASSINO que SAIU PELA CULATRA

a MÁ IDEIA:

Tentar desmembrar a frágil União assassinando líderes políticos importantes.

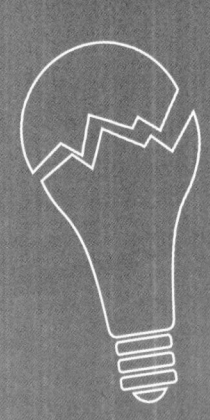

os gênios por TRÁS DELA: John Wilkes Booth e seus coconspiradores

a sacada ACONTECEU: 1865

resumo da ÓPERA:

Poder-se-ia dizer que John Wilkes Booth, o ator teatral boa-pinta aclamado pela crítica como "o homem mais bonito dos EUA", foi o Brad Pitt do seu tempo.

Mas, por baixo das suas maças do rosto salientes, esconde-se um ódio venenoso. Simpatizante dos confederados e opositor veemente da hegemonia do Norte, Booth jura vingança contra o Presidente Abraham Lincoln pela Proclamação da Emancipação e a derrota do Sul na Guerra Civil.

de mal A PIOR:

Conspirando com oito homens que compartilham suas ideias, ele concebe o arrojado plano de assassinar simultaneamente Lincoln, o Vice-presidente Andrew Johnson e o Secretário de Estado William Seward. No dia 14 de abril de 1865, enquanto Lincoln assiste a uma apresentação da popular ópera *Nosso Primo Americano* em seu camarote no Ford's Theatre, em Washington, o famoso ator se aproxima por trás, sem ser percebido, e dispara um tiro na cabeça do presidente. Na manhã seguinte, Lincoln está morto.

deu no que DEU:

Mas a única bala disparada por Booth se torna, talvez, o maior tiro que saiu pela culatra na História norte-americana. Esperando que seu ato assassino o engrandeça como herói conquistador, Booth, ao contrário, se torna alvo da revolta nacional. Em 12 dias, ele é caçado pelo exército da União – e morto.

Mais de 30 milhões de pessoas se postam no caminho percorrido pelo cortejo fúnebre do presidente em homenagem aos ideais do líder sacrificado – e em repúdio permanente ao sonho de Booth de um Sul independente.

reflexões POSTERIORES:

Na mesma noite em que Lincoln é baleado, Seward sobrevive ao ataque à faca de um assecla de Booth. E o "matador" de Johnson simplesmente perde a coragem na hora H.

Claro, ELE ERA UM SAQUEADOR ASSASSINO, mas Pelo Menos A GENTE TEM O DIA LIVRE

a MÁ IDEIA:

O Dia de Colombo (o descobrimento da América).

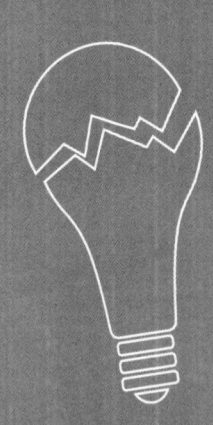

os gênios por TRÁS DELA: Os Cavaleiros de Colombo e o Congresso dos EUA

a sacada ACONTECEU: 1934

resumo da ÓPERA:

Fato alegado: Cristóvão Colombo é o descobridor da América (12 de outubro de 1492). *Fato concreto:* Eric, o Ruivo, descobre a América 500 anos antes. E não nos esqueçamos dos índios norte-americanos que vieram para o continente milhares de anos antes da chegada dos europeus.

Fato alegado: Benevolente, Colombo oferece trabalho aos povos indígenas que encontra. *Fato concreto:* Segundo registros detalhados mantidos por seus tripulantes e diários extensos escritos por missionários locais, Colombo e seus homens obrigam os nativos a trabalharem até a morte. Mulheres jovens são vendidas como escravas sexuais. Um dia, um padre católico afirma testemunhar a tripulação de Colombo – com o conhecimento do bom e velho Cris – estuprando e/ou desmembrando milhares de nativos (homens, mulheres e crianças).

de mal A PIOR:

Passados 65 anos da chegada do intrépido aventureiro ao território americano, mais de 1 milhão de nativos foram mortos. E muitos mais foram vendidos como escravos.

deu no que DEU:

Apesar disso tudo, o Congresso – sob pressão dos Cavaleiros de Colombo e para agradar à crescente população de imigrantes italianos nos Estados Unidos – decreta, em 1934, o primeiro feriado nacional homenageando aquele que é, em essência, um criminoso: o Dia de Colombo.

reflexões POSTERIORES:

Por que a História continua a ignorar essas atrocidades e a endeusar Colombo? A resposta não é clara. Mas talvez, como escreveu o historiador bolchevique M.N. Pokrovsky: "A História nada mais é do que a política de hoje projetada nos acontecimentos do passado."

O BOM LIVRO A CASA TORNA
(COM UM PEQUENO ATRASO DE
221 ANOS)

a MÁ IDEIA: Emprestar um livro para o Presidente George Washington.

os gênios por TRÁS DELA: A New York Society Library

a sacada ACONTECEU: 1789

resumo da ÓPERA: Ele está ocupadíssimo criando uma nova e dinâmica nação. Ele está ocupado definindo a presidência norte-americana. Ele está ocupado comandando o exército dos EUA. Ele está ocupado até com a meticulosa reforma de seu palácio em Mount Vernon.

Sendo assim, será que é de surpreender que George Washington esteja ocupado demais para fazer uma coisa tão mundana como devolver um livro que pegou emprestado na biblioteca local?

de mal A PIOR: Deixando sua lotada agenda de lado – passados cinco meses do primeiro termo de sua presidência –, GW pega um tomo pomposo intitulado *A Lei das Nações* e o décimo segundo volume dos *Debates da Câmara dos Comuns*, da New York Society Library (naquela que era então a capital do país), em 5 de outubro de 1789.

Um mês depois, o prazo para devolver os livros expira. Alguns anos mais tarde, os registros de empréstimos da biblioteca desaparecem. E, no dia 14 de dezembro de 1799, Washington morre – tendo se esquecido de devolver os volumes que pegou emprestados havia uma década.

deu no que DEU: Passam-se dois séculos. Em 2010, Matthew Haugen, arquivista da biblioteca, encontra livros empoeirados que mostram que Washington jamais chegou a devolver os dois volumes. Resultado: um dos pais da América pode reclamar também a paternidade da maior multa de biblioteca: com a correção monetária correspondente a 221 anos, ela chega à astronômica quantia de 300 mil dólares – possivelmente a mais alta do gênero na História.

reflexões POSTERIORES: Notificados do mau passo do patriarca, o pessoal do palácio de Mount Vernon, em Washington, incapaz de localizar qualquer um dos livros, procura nos quatro cantos do globo e localiza uma edição idêntica de *A Lei das Nações*. O livro, avaliado em 12 mil dólares, é adquirido e entregue à biblioteca, que imediatamente perdoa a volumosa multa.

Macacos me Mordam
SE ESSE NÃO FOI
o MICO do Século

a MÁ IDEIA:

O Homem de Piltdown.

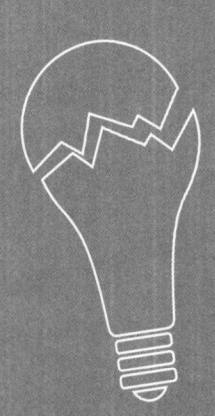

o gênio por TRÁS DELA: O arqueólogo Charles Dawson

a sacada ACONTECEU: 1912

resumo da ÓPERA:

A julgar pela descoberta do Homem de Neandertal (em 1856, Alemanha), do Homem de Cro-Magnon (em 1868, França) e do Homem de Heidelberg (em 1907, Alemanha), os primeiros passos da humanidade parecem ter sido dados no continente europeu.

Em resposta, os arqueólogos britânicos trabalham febrilmente para desbancar os rivais franceses e alemães, esforçando-se para descobrir o "elo perdido" em solo inglês. A Inglaterra, acreditam, tem o direito de reivindicar o que Darwin chama de "as origens do homem".

de mal A PIOR:

Por uma grande sorte, em 1912, o arqueólogo amador Charles Dawson depara com o Homem de Piltdown – antigos fragmentos de crânio descobertos em uma pedreira inglesa que parecem ser parte de homem, parte de macaco. Mas surgem suspeitas. Como foi que a mandíbula que faltava apareceu de repente no local, quatro anos após o início da escavação? Pouco depois, o Royal College põe em dúvida a descoberta de Dawson.

deu no que DEU:

Por volta da década de 1950, quando a descoberta do *Australopithecus africanus* aponta a África como o lar dos primeiros humanos, os cientistas chegam a considerar o Homem de Piltdown como uma estranha e desconectada via paralela evolucionária. Em 1953, a revista *Time* publica indícios de que o fóssil do Homem de Piltdown foi, na verdade, construído a partir de um crânio humano medieval e a mandíbula de um orangotango nascido há 500 anos, ambos escurecidos com produtos químicos para parecerem mais velhos. O Homem de Piltdown foi um golpe; Dawson, já falecido, foi uma fraude. Que mico!

reflexões POSTERIORES:

Cientistas britânicos, em seu zelo nacionalista, aceitaram depressa demais as afirmações mal embasadas de Dawson. Em consequência, o Homem de Piltdown levou arqueólogos do mundo inteiro a um beco sem saída que fez com que a ciência da evolução sofresse um atraso de décadas.

SE VOCÊ É VERDE, *não* APERTE O BOTÃO VERMELHO

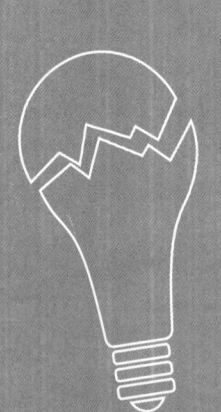

a MÁ IDEIA: "O Botão."

os gênios por TRÁS DELA:	Tecnólogos dos EUA e da União Soviética
a sacada ACONTECEU:	Década de 1950

resumo da ÓPERA:

Não, não estamos falando daquele que você aperta para mudar o canal da tevê. Nem daquele no cós da calça que você tem que abrir depois da ceia de Natal. Na verdade, estamos falando daquele que é muito especial, pois pode dar início à Terceira Guerra Mundial.

Sim, amigos, estamos falando de "O Botão". É a engenhoca superprática que dava aos presidentes norte-americanos e primeiros-ministros soviéticos na Guerra Fria o poder de lançar uma ofensiva nuclear com um simples aperto de mindinho. E ele já quase acabou com a humanidade muitas vezes nos últimos 50 anos.

de mal A PIOR:

Exemplo: a Crise dos Mísseis de Cuba. Outubro de 1962. Os EUA posicionam 100 mísseis nucleares na Europa, perto o bastante para atingirem Moscou. A URSS responde enviando secretamente a mesma carga para Cuba, que, para um míssil, está a uma distância de poucos minutos de Washington, D.C. Os conselheiros militares do Presidente John F. Kennedy tentam convencê-lo a apertar o botão, assim lançando um ataque preventivo contra as instalações dos mísseis em território cubano.

deu no que DEU:

Em vez disso, Kennedy espera, o líder soviético Nikita Khrushchev se acovarda, e nenhum dos dois encosta o dedinho afoito no botão. Mas o fim da humanidade continua na ponta dos dedos de líderes políticos, em todo o mundo, até hoje.

reflexões POSTERIORES:

Nos anos que se seguem, chips de computador defeituosos, voos de gansos, problemas de software e balões climáticos erroneamente identificados levam aqueles que decidem os ataques nucleares a estender o dedo para o botão. Enquanto escrevemos estas mal traçadas linhas, o Armagedon (salvo no péssimo filme de Michael Bay) ainda não chegou.

A CAVALGADA Manca de PAUL REVERE

a MÁ IDEIA:

Atribuir ao homem errado o alerta dado aos colonos americanos sobre uma iminente invasão britânica.

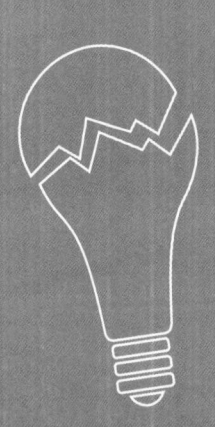

o gênio por TRÁS DELA: O poeta Henry Wadsworth Longfellow

a sacada ACONTECEU: 1860

resumo da ÓPERA:

Todo estudante norte-americano conhece o clássico poema de Longfellow que começa com: "Atentem, meus filhos, e ouvirão a cavalgada noturna de Paul Revere..."

Mas calma lá! Os historiadores nos dizem que Longfellow ignorou não menos do que 40 outros cavaleiros corajosos, incluindo um jovem que foi ainda mais longe e alertou mais colonos de Massachusetts sobre o iminente ataque britânico do que Paul Revere *jamais* chegou a fazer.

de mal A PIOR:

Eis como a verdadeira história se desenrolou: poucas horas antes de Paul Revere iniciar sua legendária cavalgada de 32 quilômetros, é capturado por uma patrulha britânica. Após seu cavalo ser confiscado, Revere entra em Lexington a pé, escoltado por uma guarda armada.

Nesse ínterim, Israel Bissell, um jovem de 23 anos, galopa em direção a Worcester, gritando: "Às armas! Às armas! A guerra começou!" Espantosamente, Bissell conclui a cavalgada de um dia inteiro em duas horas, levando o cavalo a despencar de exaustão sob seu corpo. Iniciando uma segunda cavalgada, o incansável rapaz galopa de Massachusetts à Filadélfia – cobrindo a distância de 560 quilômetros em apenas seis dias.

deu no que DEU:

Apesar do feito relativamente modesto, o "reverenciado" Revere simboliza hoje o espírito corajoso da Revolução Americana. Enquanto isso, Bissell é um nome mais conhecido nos EUA como... bem... marca de aspiradores de pó.

reflexões POSTERIORES:

Em 1995, um poeta finalmente deu a Bissell seu justo reconhecimento, escrevendo os versos: "Atentem, meus filhos, para a minha epístola/ Da longa, longa cavalgada de Israel Bissell." Só não ficou tão legal quanto o outro, né?

Navio Negreiro
LIBERTA O MOVIMENTO ABOLICIONISTA

a **MÁ IDEIA:**
Aprisionar africanos destinados à escravidão na América.

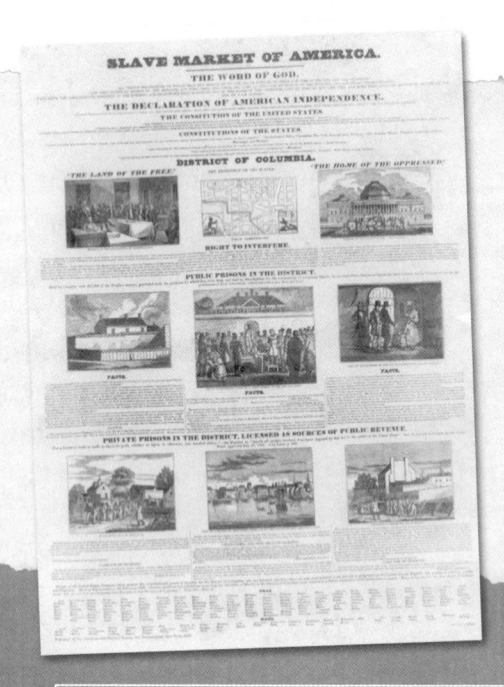

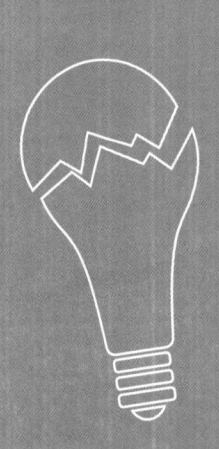

os gênios por TRÁS DELA:
A Alfândega Marítima e o governo dos EUA

a sacada ACONTECEU:
1839

resumo da ÓPERA:

Altamente lucrativo, mas totalmente desumano, o tráfico transatlântico de escravos – proibido por lei desde 1808 – se estende por décadas, mesmo depois que a Alfândega Marítima dos EUA, acusada de reduzir o contrabando marítimo e aumentar as tarifas, redobra a vigilância.

de mal A PIOR:

O ano agora é 1839. Joseph Cinqué (Sengbe Pieh) lidera um grupo de 54 africanos a bordo da escuna negreira espanhola *La Amistad* em um audacioso motim perto de Havana, Cuba, exigindo que a tripulação os leve em segurança de volta para casa.

Em vez disso, o desonesto comandante do *Amistad* leva os incautos escravos em potencial para o Norte, rumo a Long Island, onde a Alfândega Marítima imediatamente confisca o navio e sua carga humana, reclamando uma parte do seu valor monetário ao governo dos EUA, como a lei permite.

deu no que DEU:

A administração do Presidente Martin van Buren, cansada dos contrabandistas sonegadores e simpática à visão escravagista dos latifundiários abastados, defende o quinhão financeiro da carga escrava do *Amistad* a que o governo tem direito – e o faz até a Suprema Corte. Lá, o ex-Presidente John Quincy Adams cita as liberdades mencionadas na Declaração da Independência ao contra-argumentar, exaltado, que os africanos foram ilegalmente detidos pelos Federais. Em 1841, a Suprema Corte concorda, decidindo que os 35 participantes do motim do *Amistad* que sobreviveram estão livres para voltar à África.

reflexões POSTERIORES:

Em sua infeliz tentativa de ignorar o florescente movimento abolicionista na América, a administração Van Buren só conseguiu jogar lenha na fogueira antiescravagista, que mais tarde incendiou a Guerra Civil.

ARTISTAS *Deslumbrados* (PORÉM *Desmiolados*)

Como Fazer UMA CARREIRA MUSICAL... da Boca Pra Fora

a MÁ IDEIA:

Criar um grupo pop com dois cantores que não cantam.

o gênio por TRÁS DELA: Frank Farian, produtor musical alemão überbem-sucedido

a sacada ACONTECEU: 1988

resumo da ÓPERA:

Farian está procurando "a próxima sensação" da música. Dando uma conferida nas boates de Berlim da década de 1980, ele encontra por acaso os modelos Fabrice Morvan e Rob Pilatus mandando ver na pista de dança. Para a maioria, eles não são mais do que dois garotões sarados se exibindo. Mas, para Farian, eles são a fachada ideal para uma nova banda de sucesso. Pouco depois, nasce a dupla pop Milli Vanilli.

Só tem um problema: nem Rob nem Fab sabem cantar. Para encobrir essa deficiência um tanto grave, Farian contrata em segredo vocalistas profissionais para gravarem todas as canções do Milli Vanilli – e instrui Rob e Fab a mexer os lábios ao som dessas gravações sempre que se apresentarem ao vivo.

de mal A PIOR:

O Milli Vanilli decola como um míssil do hip-hop-pop. Então, com a mesma velocidade, o míssil explode. Em um show exibido ao vivo pela MTV em 1989, Rob e Fab estão mexendo os lábios e dançando ao som do seu megassucesso "Girl You Know It's True", quando... a gravação começa a pular – obrigando a dupla a repetir o mesmo verso sem parar. A fraude Milli Vanilli é desmascarada!

deu no que DEU:

Fãs ultrajados exigem que os impostores musicais sejam pendurados pelos dreadlocks. Dúzias de processos se seguem. A Arista Records rompe o contrato. O Grammy de Melhor Revelação é vergonhosamente devolvido. Com suas curtas carreiras destruídas, Fab mergulha na obscuridade e Rob morre de overdose em 1998.

reflexões POSTERIORES:

Na esteira do desastre Milli Vanilli, o playback se torna um assunto altamente debatido entre críticos musicais e fãs até hoje, com um monte de gente – de Britney Spears a Justin Bieber e Beyoncé – sendo acusado de "fingir cantar" nas apresentações ao vivo.

E.T. TELEFONA PARA A MARS... MAS DÁ
fora da área de cobertura

a MÁ IDEIA: Recusar aquela que talvez tenha sido a maior oportunidade de marketing da história do cinema.

os gênios por TRÁS DELA: Os "lunáticos" da Mars, Inc.

a sacada ACONTECEU: 11 de junho de 1981

resumo da ÓPERA: Você já viu esse filme. Já conhece a cena. O garoto Elliot atrai E.T., o extraterrestre, para fora do seu esconderijo com uma trilha de confeitos coloridos e apetitosos.

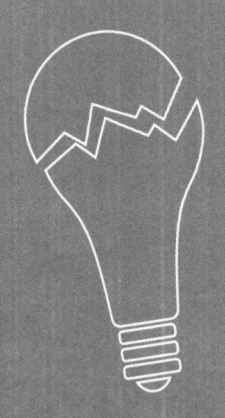

Segundo a roteirista do filme, Melissa Mathison, só um confeito poderia atiçar a gula de um visitante intergalático fofo e adorável: o M&M's, o mais popular confeito da Terra. Mas, quando recebem a proposta dessa oportunidade pioneira de marketing, os siderados da Mars deixam que a ideia morra na base de lançamentos. "Não queremos um alienígena comendo nossos confeitos", opinam. "Isso pode assustar as crianças."

de mal A PIOR:

A destemida produtora de E.T., Kathleen Kennedy, procurando às pressas um substituto para o M&M's, encontra um confeito quase desconhecido que a Hershey's vem tentando desencalhar há algum tempo: o Reese's Pieces. Em um acordo verdadeiramente do outro mundo, a Hershey concorda em não pagar absolutamente nada para permitir que o Reese's Pieces apareça nesse tão esperado filme – e a promovê-lo em sua publicidade ao custo de apenas 1 milhão de dólares.

A bilheteria de E.T. vai ao espaço, deixando Star Wars no seu rastro. O estrondoso sucesso, um dos maiores de seu tempo, faz as vendas do Reese's Pieces irem à estratosfera. Jack Dowd, da Hershey's, afirma que o posicionamento é "a maior jogada de marketing da História. O retorno foi tão gigantesco que, para obter o mesmo resultado, teríamos que gastar de 15 a 20 milhões de dólares."

deu no que DEU:

A Mars, envergonhada pelo vexame de E.T., jura nunca mais perder outra oportunidade de marketing estelar. Astronautas de ônibus espaciais dos EUA comem M&M's em missões subsequentes. E, no Spacheship One, o primeiro projeto espacial tripulado e financiado pela iniciativa privada, M&M's flutuam colorindo toda a cabine com gravidade zero.

reflexões POSTERIORES:

Com o megassucesso do Reese's Pieces, a indústria do marketing cinematográfico logo entra no hiperespaço. Hoje, ela continua a crescer à velocidade da luz, a uma taxa que supera a da imprensa tradicional e da publicidade em rádio, ultrapassando a marca dos 145% apenas entre 2006 e 2011.

CENSURA FICA *Louca, Louca* COM "LOUIE LOUIE"

a MÁ IDEIA: Tentar identificar "obscenidade" na letra do sucesso "Louie Louie".

os gênios por TRÁS DELA: O Procurador-geral Robert Kennedy e o diretor do FBI J. Edgar Hoover

a sacada ACONTECEU: 1963

resumo da ÓPERA: Durante meses, pais irados, grupos religiosos e líderes morais exigem que o governo tome uma atitude. Não, eles não estão se queixando contra a intervenção cada vez maior do país no Vietnã. Nem contra sua inércia na questão dos direitos civis. Eles têm assuntos mais importantes na cabeça – como mandar os Federais descobrirem de uma vez por todas se o sucesso "Louie Louie" está encorajando os nossos jovens a fazerem o que é "safado, safado".

de mal A PIOR:

Escrita na década de 1950 como uma melancólica canção de influência caribenha sobre um homem que sente saudades da amada, eis a letra de *Louie Louie*, conforme composta originalmente em inglês *pidgin* por Richard Berry:

Louie Louie, oh oh, me gotta go. (2x)
Fine little girl, she waits for me.
Me catch the ship, for cross the sea.

[Louie Louie, ah, ah, eu tenho que ir m'embora. (2x)
A garotinha bonita espera por mim.
Vou pegar o navio pra atravessar o mar.]

A pitoresca música, gravada numa dicção ininteligível em 1963 (após uma noite na balada) pelos Kingsmen, um quarteto do Oregon, dispara no top 40 do hit parade. Mas, ah, logo surgem rumores de que a letra contém referências secretas obscenas a sexo adolescente. Com efeito, uma tradução geralmente aceita, supostamente audível em uma reprodução de baixa velocidade, é:

Louie, Louie – Oh no! Grab her way down low.
A fine little bitch, she waits for me,
She gets her kicks on top of me.

[Louie, Louie – ah, não! Puxa ela lá pra baixo.
Putinha bonita, ela espera por mim,
E curte adoidado em cima de mim.]

deu no que DEU:

A notícia de que o governo está conduzindo uma investigação de obscenidade faz com que as vendas do disco – produzido pela bagatela de 36 dólares – disparem às centenas de milhares. Mas, após um inquérito de dois anos e meio, o FBI abandona o caso. Milhares de horas de trabalho de peritos criminais desperdiçadas tentando decifrar os mistérios de "Louie Louie" levam os censores à conclusão de que a letra gravada pelos Kingsmen não tem a menor possibilidade de ser obscena, porque é "ininteligível em qualquer velocidade".

reflexões POSTERIORES:

Duradouro sucesso em festas, a "escandalosa, profana" "Louie Louie" jamais chega a ocupar o primeiro lugar das paradas. E o que a impede de alcançar a mais alta posição é, ironicamente, a cantora Singing Nun (Freira Cantora), com seu sucesso em francês, *Dominique*.

LEMBRE-SE DO LADO BURRO DA FORÇA, *Luke*

a MÁ IDEIA: Recusar-se a produzir o filme que irá lançar uma das franquias mais bem-sucedidas da História.

os gênios por TRÁS DELA: Bambambãs de praticamente todos os estúdios de Hollywood

a sacada ACONTECEU: 1976

resumo da ÓPERA:

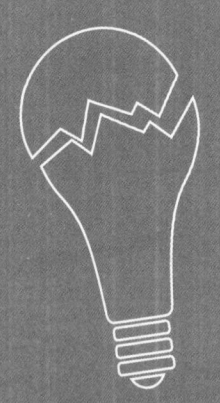

No mundo de Hollywood, com seus chafarizes de água mineral gasosa, ternos de 3 mil dólares e tiradas do tipo "minha massagista vai ligar para a sua", dizer sim a uma proposta é uma atividade de alto risco. Se o filme afundar, você pode perder o emprego (a massagista, então, nem se fala).

Por isso, não é nenhuma surpresa que praticamente todos os estúdios que se prezem tenham uma única palavra a dizer a George Lucas quando ele os visita para exibir seu modesto filminho de ficção científica com o tímido nome de *Star Wars* – e que essa palavra seja um redondo, um sonoro, um *jabbaesco* NÃO!

de mal A PIOR: Sem se deixar abater (nem de bater de porta em porta), Lucas persevera. Quebrado e precisando trabalhar depois que a Universal inicialmente se recusou a lançar seu *American Graffiti* (feito com um orçamento de menos de 1 milhão de dólares, chegou a alcançar uma bilheteria de 118 milhões), Lucas procura a United Artists com sua ideia para uma "aventura espacial". Eles recusam. A Universal faz o mesmo. E as outras só engrossam o coro do "Na-na-ni-na-não, Georginho...".

deu no que DEU: Desesperado, ele exibe *American Graffiti* para Alan Ladd Jr., presidente da 20th Century Fox. Ladd adora o filme – e pergunta a Lucas se por acaso não teria outras ideias para futuras produções.

Lucas então o apresenta a Luke, Leia, Han, Chewbacca, R2-D2 e todos os outros personagens de *Star Wars* que hoje fazem parte do folclore do cinema. Ladd termina concordando em produzir o filme, que rende 800 milhões de dólares só de bilheteria. *Star Wars* também fatura sete Oscars em 1977, além de criar o modelo do "filme de verão". Isso, claro, para grande desgosto de todos os demais estúdios que o recusaram.

reflexões POSTERIORES: Outros filmes que tiveram uma alta bilheteria (além de rendimentos em outras áreas) e que foram recusados pelos estúdios de ponta:

Avatar (2009): 2,7 bilhões
Titanic (1997): 1,8 bilhão
O Senhor dos Anéis (trilogia, 2001-2003): 3,3 bilhões
Homem-Aranha (trilogia, 2002-2007): 2,5 bilhões
De Volta para o Futuro (trilogia, 1985-1989): 1,1 bilhão
E.T., o Extraterrestre (1982): 792 milhões

MÃOS AO ALTO (ou Eu Canto)

a MÁ IDEIA: Mostrar policiais com uma arma na mão e uma canção na cabeça para criar o musical da tevê *Cop Rock*.

o gênio por TRÁS DELA: O megaprodutor televisivo Steven Bochco

a sacada ACONTECEU: 1990

resumo da ÓPERA:

Imagine que você está sentado diante da tevê, pronto para assistir ao seriado policial mais violento e cheio de ação da temporada.

Sirenes uivando, pneus cantando, os delinquentes fugindo dos canas. Quando os policiais estão prestes a algemar os malfeitores, acontece uma coisa estranha: a gangue começa a cantar. E os policiais respondem improvisando seu próprio número musical. Um coro de transeuntes se requebra no ritmo, antes que os arruaceiros sejam arrastados para o camburão.

Prepare-se para ter ânsias de vômito. Você acaba de assistir à embasbacante *Cop Rock*.

de mal A PIOR:

Tendo bancado o sucesso de Bochco com seriados icônicos como *Chumbo Grosso*, os executivos da NBC deixam de lado suas reservas em relação ao bizarro drama-policial-musical do célebre produtor e encomendam 13 episódios de *Cop Rock* para o horário nobre de 1990.

deu no que DEU:

Em 26 de setembro, a série finalmente estreia – e ninguém elogia. Os críticos consideram o drama musical uma vergonhosa e acidental comédia. A cotação despenca. E a NBC manda o seriado para o xadrez depois de apenas 11 episódios. O *TV Guide*, no entanto, inclui *Cop Rock* entre o TOP 10... na lista dos 50 piores programas de tevê de todos os tempos.

reflexões POSTERIORES:

Bochco se recupera, finalmente faturando uma dezena de prêmios Emmy (nenhum por *Cop Rock*) ao criar os sucessos de crítica e de público *L.A. Law* e *Nova York contra o Crime*. *Cop Rock* é a última série musical a ser exibida na telinha até lançamentos mais recentes, como *Glee* (2009), *Nashville* (2012) e *Smash* (2012).

BOCHICHOS & BIRUTICES DE *Britney*

a MÁ IDEIA:

Deixar que sua vida pessoal muito doida quase derrube uma carreira musical extremamente bem-sucedida.

o gênio por TRÁS DELA: A pop star Britney Spears

a sacada ACONTECEU: 2004 até o presente

resumo da ÓPERA: Catapultada para a fama em *The All New Mickey Mouse Club* do Disney Channel aos oito anos de idade, Britney explode como a maior sensação da música pop adolescente nos EUA com o lançamento de "Baby One More Time", que vendeu 25 milhões de cópias em 1999. Mas, enquanto as vendas galopantes do álbum alcançam a marca dos 52 milhões em 2002, ela vive uma série de bizarrices que levam seus fãs a pedir: "Baby One *Less* Time."

de mal A PIOR: Prova do Crime nº 1: Em 2004, Britney decide se casar com o amigo de infância Jason Allen Alexander – por um total de 55 horas –, antes de conseguir a anulação do casamento, na qual, com explicitude constrangedora, é citada sua "falta de compreensão dos próprios atos".

Prova do Crime nº 2: Passados alguns meses, ela decide juntar os trapinhos com o dançarino/rapper Kevin Federline, após um breve romance de três meses. Depois de uma tumultuosa união de dois anos, acompanhada quadro a quadro pelos tabloides, o casal dá entrada no pedido de divórcio.

deu no que DEU: Em 2007, após ser fotografada dirigindo um carro luxuoso com um de seus filhos pequenos solto no colo, Britney se interna em uma clínica de reabilitação – para então sair 24 horas depois. Na noite seguinte, ela é fotografada raspando a cabeça em um salão de cabeleireiro em Tarzana, Califórnia. Em pouco tempo, perde a guarda dos filhos, é novamente internada em uma clínica psiquiátrica e clicada no famoso flagra ao sair de um carro com as pernas abertas e sem calcinha.

reflexões POSTERIORES: Britney vê as vendas de seu álbum *Circus* despencarem para 3,5 milhões em 2008. Apesar de seus altos e baixos – ou talvez justamente por causa deles –, seu álbum *Femme Fatale* estreia na primeira posição no ranking das top 200 da *Billboard*, em 2011.

OLHE SÓ, QUERIDA! *Carlitos* VEIO DORMIR AQUI EM CASA

a MÁ IDEIA:

Invadir uma residência e tirar uma soneca na cama de uma criança.

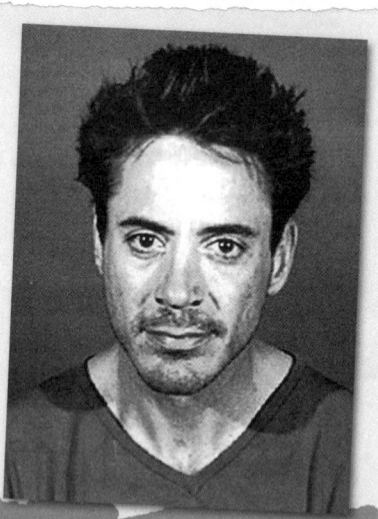

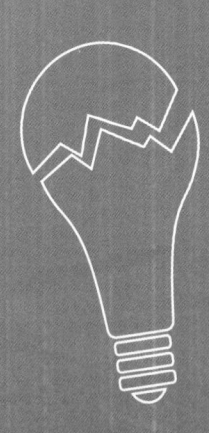

o gênio por TRÁS DELA: O ator Robert Downey Jr.

a sacada ACONTECEU: Maio de 1996

resumo da ÓPERA:

Indicado para o Oscar em 1992 e aclamado como o maior ator de sua geração, Downey, sentindo-se "no bagaço" sob o efeito da heroína e da cocaína, vem dirigindo em alta velocidade pelo Sunset Boulevard, pelado e tendo em seu poder uma pistola Magnum .357. Pouco depois, ele é preso – o tempo todo afirmando para os policiais que seu carro está cheio de ratos –, e, por fim, condenado a participar de um programa monitorado de reabilitação.

de mal A PIOR:

Enquanto está sob supervisão, Downey, sem usar nada além de uma cueca e um sorriso, depara, bêbado, com uma casa desocupada em Malibu e ferra no sono na cama de uma criança. Quando os donos da casa voltam e encontram o astro de *Chaplin* roncando no quarto do filho, ele volta a ser preso – e, mais uma vez, é sentenciado a reabilitação.

Por não se submeter a um teste de drogas ordenado pelo tribunal pouco depois, ele é condenado a cumprir quatro meses na prisão de Los Angeles. Ao ser solto, com sua carreira outrora promissora em declínio, ele falta a outro teste de drogas e é condenado a cumprir uma pena de três anos na prisão estadual. Os produtores da série *Ally McBeal* cortam seu papel.

deu no que DEU:

Em 2003, a queda livre de Downey das alturas de Hollywood chega ao fundo do poço. Sem conseguir emprego, toma coragem de se livrar das drogas atirando-as nas águas azuis do Pacífico e entra em uma fase de intensa reabilitação. Alega que está limpo e sóbrio desde então.

reflexões POSTERIORES:

Para coroar sua reascensão, Downey é indicado como melhor ator coadjuvante por seu verdadeiro *tour-de-force* na comédia de 2008 *Trovão Tropical* e, mais tarde, volta às alturas como o Homem de Ferro na trilogia de sucesso.

Licença para Matar
(A PRÓPRIA CARREIRA)

a MÁ IDEIA: Recusar o icônico papel de 007.

o gênio por TRÁS DELA: Burt Reynolds

a sacada ACONTECEU: 1972

resumo da ÓPERA: Desde que se tornou uma estrela no papel de Lewis, o aventureiro machão em *Amargo Pesadelo*, indicado para o Oscar de Melhor Filme em 1972 – e estrelou seminu um pôster central na revista *Cosmopolitan*, que causou verdadeiro furor –, Burt Reynolds é o ator mais quente de Hollywood. Sempre o primeiro a receber a oferta dos mais cobiçados papéis, finalmente chega às suas mãos aquele que é o deus dos protagonistas masculinos: James Bond.

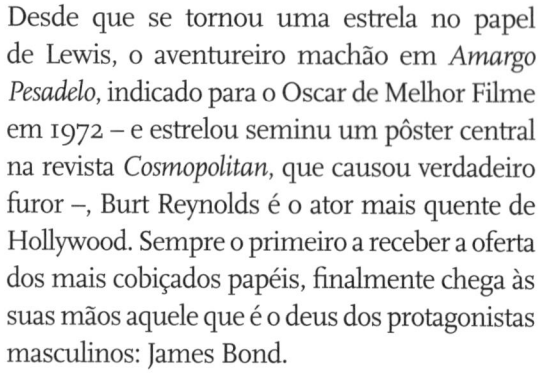

Num corre-corre desesperado para encontrar um ator de fina estampa "que saiba envergar um smoking, manusear uma pistola e seduzir uma mulher", o megaprodutor Albert Broccoli está de olho em Reynolds.

de mal A PIOR: Decretando que "(um) americano não pode fazer o papel de James Bond", Reynolds prefere participar de fiascos cinematográficos, como *Aliados contra o Crime*, *Sob o Signo da Vingança* e *Amor Feito de Ódio*, durante os dois anos seguintes.

Despeitado, Broccoli escolhe o *savoir faire* irônico de Roger Moore para levar adiante a tradição de James Bond, uma mina de ouro de 1 bilhão de dólares que rende frutos por 12 anos. Nesse espaço de tempo, Reynolds exerce seu poder de astro participando de fracassos esquecíveis, como *Gator, o Implacável*, *W.W. and the Dixie Dancekings* e as duas pérolas de *Agarra-me se Puderes*.

deu no que DEU: Com seu carisma de protagonista desperdiçado, o sex symbol, agora começando a envelhecer, é esquecido por Hollywood na década de 1980. Tendo desprezado o lucro potencialmente astronômico do filme de Bond, ele vai à falência em 1996.

reflexões POSTERIORES: Satirizando as questionáveis escolhas profissionais do ator, o comediante Robert Wuhl fez a seguinte piada: "Burt Reynolds faz tantos filmes ruins que, quando *outra pessoa* faz um filme ruim, Burt recebe *royalties*." Em uma entrevista de 2005, Reynolds admite, arrependido: "Agora, eu acordo de madrugada suando frio e dizendo: 'Bond, James Bond.'"

Tesouro DE CAPONE SE TRANSFORMA EM Tédio NA TEVÊ

a MÁ IDEIA: "O Mistério do Cofre de Al Capone."

os gênios por TRÁS DELA: Tribune Entertainment e WGN, Chicago

a sacada ACONTECEU: Abril de 1986

resumo da ÓPERA: Um cara durão e bom de lábia das ruas de Nova York e seu grupo de capangas tramam arrombar um cofre e sair de lá com uma nota preta. Mas, quando chega a hora H, quebram a cara.

Parece a típica ideia de jerico que, na era dos mafiosos, poderia ter feito com que os perpetradores dessem com os burros n'água. Mas, no fim, são 30 milhões de americanos incautos (e a carreira do esperto nova-iorquino) que pagam o pato.

de mal A PIOR:

Recentemente contratado como repórter investigativo sensacionalista da ABC News, Geraldo Rivera concorda em apresentar um evento de duas horas ao vivo – um furo de reportagem que promete revelar o conteúdo de um cofre secreto localizado no porão do Lexington, um hotel abandonado em Chicago, outrora a sede do sindicato do crime organizado na década de 1920, dirigido pelo infame mafioso Al Capone.

O programa começa com um Rivera ofegante convidando os espectadores a entrar no fantasmagórico porão coberto de teias de aranha. Ele parte para o labirinto de túneis de Capone (usados para esconder tesouros ou desovar cadáveres?), embrenhando-se por entre as entranhas do prédio. Em seguida, ele dá ao público uma palhinha do que deverá ser o clímax do programa: a abertura de uma parede de concreto de 60 centímetros, atrás da qual podem estar as riquezas ocultas da gangue de Capone.

deu no que DEU:

Com mais de 30 milhões de espectadores em quase 200 emissoras em todo o mundo, a equipe de escavação, lá para as tantas do quilométrico programa, finalmente consegue atravessar a espessa parede.

As luzes da tevê varrem a câmara interna às escuras, em busca do tesouro perdido ou de macabros membros decepados. Em vez disso, o público não vê nada além de lixo, pilhas de detritos e garrafas de bebida vazias. O programa termina, como Capone poderia ter dito, com um grandessíssimo *"ma che bella merda"*.

reflexões POSTERIORES:

Apesar de atrair, na época, a maior audiência mundial da história da tevê, o programa faz com que Geraldo e seus produtores se tornem alvo de deboche no país inteiro. Ao escrever sua autobiografia em 1991, Rivera admite que ajudou a fazer de "o cofre de Al Capone" um eufemismo moderno para qualquer evento superanunciado que tem resultados decepcionantes.

DINOSSAURO Ajuda a Deixar FINANÇAS de Ator à BEIRA DA EXTINÇÃO

a MÁ IDEIA:

Gastar mais de 250 mil dólares em restos de dinossauro em vez de pagar o imposto de renda.

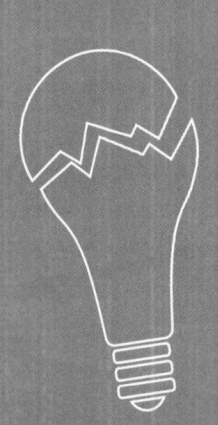

o gênio por TRÁS DELA:
O ator Nicholas Cage, um *consumossauro* pra ninguém botar defeito

a sacada ACONTECEU:
2007

resumo da ÓPERA:

Ele comprou um jatinho. Dois iates. Três castelos. Duas ilhas nas Bahamas. Um monte de mansões. Cinquenta carros (inclusive um Lamborghini de 495 mil pratas). E uma coleção de quadrinhos avaliada em 1,6 milhão.

Mas do que ele realmente precisa – acima de todos os outros bens terrenos – é um crânio de dinossauro de 67 milhões de anos. Por isso, o astro de *Arizona Nunca Mais*, Nicholas Cage, cobre o lance do coleguinha Leonardo DiCaprio num leilão e fatura a relíquia pré-histórica por 276 mil dólares.

de mal A PIOR:

Que cabeça-dura, não? Mas é então que a titica de dinossauro bate no ventilador: Cage já deve ao governo mais de 6 milhões em impostos atrasados. E sua bizarra incursão pública nos domínios da paleontologia faz com que ele incorra na ira do Leão.

Com a Receita Federal apertando o cerco a sua volta, o ator engrena uma marcha à ré, transformando seus anos de consumismo num bazar de pechinchas, liquidando sua mansão em Bel-Air por um valor milhões de dólares inferior ao preço de compra original – para então perder mais centenas de milhares com a venda de seus castelos (inclusive um em que ele passou apenas uma noite). Até suas queridas revistinhas *vintage* do Super-Homem têm que ser vendidas.

deu no que DEU:

Tentando prestar mais atenção a suas finanças (ele ganha milhões por ano), em 2008 Cage contrata um novo empresário. E, numa referência ao seu papel de alcoólatra em *Despedida em Las Vegas*, pelo qual foi indicado ao Oscar, ele assume o compromisso de passar a gastar com mais parcimônia.

reflexões POSTERIORES:

Aumentando sua reputação de excêntrico, Cage alega que vem sendo perseguido por um mímico misterioso desde o lançamento de *Vivendo no Limite*, em 1999.

PETE FAZ BARBEIRAGENS E DERRAPA NA *"The Long and Winding Road"*

a MÁ IDEIA: Recusar-se a se vestir, falar e se comportar, sob qualquer aspecto, como os companheiros de banda prestes a se tornarem mundialmente famosos.

o gênio por TRÁS DELA: Pete Best, baterista da banda Quarrymen

a sacada ACONTECEU: 1960

resumo da ÓPERA: Anos antes de a filosofia hippie do "cada um na sua" entrar na moda, Pete Best já estava dançando ao som de um ritmo diferente.

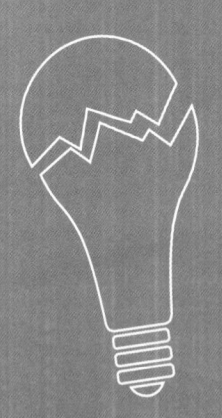

Seus companheiros de banda usam jaquetas de couro e penteiam o cabelo no estilo *mop-top*; Pete usa mangas curtas e se mantém fiel às suas melenas naturalmente encaracoladas. Seus companheiros de banda saem juntos; Pete sai sozinho em altivo silêncio. Portanto, diante de sua recusa inflexível em entrar na onda, Best é demitido do posto de baterista da Quarrymen, uma pequena banda de pop/rock pouco conhecida de Liverpool, que agora adotou o marcante nome... The Beatles.

de mal A PIOR:

Alguns especulam que os astros da banda, John Lennon, Paul McCartney e George Harrison, decidiram dar um pé na bunda de Best em favor do excêntrico e feioso Ringo Starr não por causa da teimosa independência de Pete, mas por um motivo muito mais pessoal: inveja. Afinal, Best é considerado pela maioria como o membro mais bonito da formação inicial dos Beatles, recebendo elogios rasgados e sendo intensamente assediado pelas fãs.

Magoado e perplexo com a demissão, Best recusa uma oferta do empresário dos Beatles, Brian Epstein, para criar uma nova banda. Ele prefere ficar em casa, emburrado, sem coragem de sair e enfrentar as perguntas sobre sua demissão.

deu no que DEU:

Enquanto os Beatles emplacam um sucesso atrás do outro nas paradas, Best assina contrato com a Decca Records – e lança um único single, que é um fracasso. Forma uma nova banda, a Pete Best Combo, que faz uma turnê de pouco sucesso. Em desespero, Pete grava um álbum com o título pouco inteligente de *Best of the Beatles*, um trocadilho infame em cima do sobrenome do baterista e do nome de sua ex-banda. Acreditando que o álbum seja uma compilação dos maiores sucessos dos Beatles, os consumidores, furiosos, não acham a menor graça.

reflexões POSTERIORES:

Quando a Beatlemania atinge proporções de fenômeno mundial sem precedentes, Best, desolado, pensa em se suicidar. Abandonando a música, ele aceita um humilde emprego como entregador de pão. Ironicamente, o homem que perdeu o posto de baterista daquele que é agora o projeto artístico mais famoso de todos os tempos acaba trabalhando como gerente de uma agência de treinamento e emprego em Liverpool. Ele permanece afastado do cenário musical durante duas décadas.

Os CAÇADORES DA FAMA Perdida

a MÁ IDEIA:

Recusar o papel, agora lendário, de Indiana Jones.

o gênio por TRÁS DELA:	O ator Nick Nolte
a sacada ACONTECEU:	1980

resumo da ÓPERA:

Recusando-se a colocar o chapéu de feltro e estalar o chicote, Nolte disse não ao cobiçável papel de Indiana Jones no clássico moderno de George Lucas, *Os Caçadores da Arca Perdida* – recebendo um sincero agradecimento de Harrison Ford por isso.

de mal A PIOR:

Em vez de vestir a capa do valente professor inimigo dos nazistas, Nolte preferiu estrelar um longa há muito já esquecido: *Os Beatniks*.

Ironicamente, apenas três anos antes, Nolte havia perdido o icônico papel de Han Solo para o já mencionado Ford em *Star Wars: Uma Nova Esperança*, de Lucas. O mesmo Harrison Ford acabou fazendo um total de quatro filmes altamente bem-sucedidos da série *Indiana Jones* durante as três décadas seguintes.

deu no que DEU:

Na ponta do lápis, o quarteto de filmes do arqueólogo mais famoso do planeta faturou 2 bilhões de dólares no mundo inteiro – e ajudou a fazer de Ford um dos três atores com bilheterias mais altas na história do cinema.

reflexões POSTERIORES:

Nolte também foi a primeira escolha do diretor Richard Donner para interpretar o Homem de Aço no longa-metragem *Super-Homem*, de 1978. Mas, infelizmente, ele foi preterido (por pressão dos estúdios, que queriam alguém mais musculoso e mais bonito) por um ator relativamente desconhecido chamado Christopher Reeve – que alcançou fama e fortuna mais rápido que uma bala.

HUMORISTA Sem Graça CAI... em Desgraça

a MÁ IDEIA: Apresentar um número politicamente incorreto – com a cara pintada de preto.

o gênio por TRÁS DELA: O ator e ativista liberal Ted Danson

a sacada ACONTECEU: Outubro de 1993

resumo da ÓPERA: Com a nação ainda em choque – e a cidade de Los Angeles em fúria – devido ao covarde espancamento do afro-americano Rodney King por policiais brancos em março de 1991, a questão racial é um assunto explosivo nos EUA do começo da década de 1990.

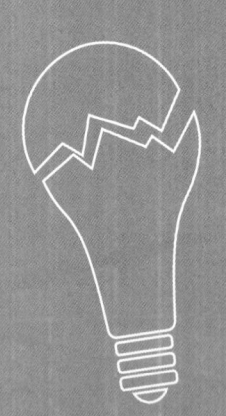

Ainda assim, em uma noite de "tiração de sarro" no Friars Club, o humorista de *Cheers* Ted Danson decide brindar a então namorada, Whoopi Goldberg, com um monólogo repleto de termos raciais insultuosos, e ainda por cima usa o pancake execrado, difamatório e indiscutivelmente racista que agora é conhecido como *blackface*.

de mal A PIOR:

Apesar da tradição de "vale tudo" no Friars Club – humor politicamente incorreto, proibido para menores, sexual/étnica/racialmente repulsivo – o número de Danson é massacrado pela imprensa, grupos de direitos e o público em geral –, todos alegando que é escandalosamente preconceituoso.

Chovem ameaças e cartas de protesto em cima de Danson. O diretor do Friars Club pede desculpas publicamente pela apresentação do ator. O prefeito de Nova York, David Dinkins, e outros líderes afro-americanos também condenam o ocorrido. Goldberg, uma atriz afro-americana ganhadora do Oscar, sai em defesa do namorado, alegando ter escrito ela mesma algumas das piadas mais incendiárias – e admitindo ter contratado o maquiador que pintou o rosto de Danson.

deu no que DEU:

Em meio a uma torrente de manifestações do público, o casal se separa pouco depois da mancada do comediante. O namoro de Danson com Goldberg, que já resultou em um exorbitante acordo de divórcio de 25 milhões com a segunda esposa, arranha sua imagem pública de ativista de Hollywood liberal e racialmente sensível.

reflexões POSTERIORES:

Danson, respondendo a perguntas da mídia sobre o número humorístico de mau gosto, sai pela tangente, afirmando: "Compreendo a sua curiosidade, mas finalmente amadureci o bastante para ter uma vida privada, e vou protegê-la zelosamente." Após uma série de filmes relativamente bem-sucedidos no fim da década de 1990, Danson retorna à tevê em 1998, com uma temporada vitoriosa de sete anos na série *Becker*, da CBS – e, em 2011, participando regularmente do seriado policial de sucesso *CSI: Las Vegas*.

CAFUNGANDO A *Memória* DO PAPAI

a MÁ IDEIA: Cheirar as cinzas do próprio genitor.

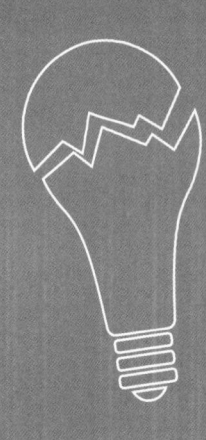

o gênio por TRÁS DELA: O guitarrista dos Rolling Stones, Keith Richards

a sacada ACONTECEU: 2002

resumo da ÓPERA:

O lendário roqueiro e *bad "very old" boy* Keith Richards, admite publicamente que inalou o que só uma tromba de elefante seria capaz em termos de substâncias ilícitas durante as quatro últimas décadas. Mas, após sua confissão a uma revista britânica, somos obrigados a reconhecer que ele deu novo sentido à expressão "meter o pé na jaca".

Pouco depois da morte do pai, Bert, Richards admite que misturou as cinzas do falecido com cocaína e mandou pra dentro.

de mal A PIOR:

Previsivelmente, a bizarra revelação é recebida com repulsa pelo público. À guisa de explicação, Richards responde, sem quaisquer sinais de arrependimento: "Não deu pra resistir. Meu pai não teria se importado."

Dando nota ao barato que teve com os restos mortais do progenitor, ele se gaba: "Desceu redondo. E ainda estou vivo."

deu no que DEU:

Passado algum tempo, após refletir melhor, Richards adverte os jovens músicos a não adotarem seu estilo de vida caracterizado por festas selvagens e delícias carnais que acabam por transformar o rosto numa máscara de espanto, afirmando, com naturalidade: "Eu dei sorte."

reflexões POSTERIORES:

A respeito de sua mortalidade, Richards opina, sardônico: "Fui o número um na lista de 'quem tem mais chances de morrer' durante dez anos. E fiquei muito decepcionado quando finalmente saí da lista."

PRIMO EDDIE GASTA À *Americana* e *Sai* à FRANCESA

a MÁ IDEIA: Não pagar uma conta de hotel de 10 mil dólares.

o gênio por TRÁS DELA: O ator Randy Quaid

a sacada ACONTECEU: Junho de 2008

resumo da ÓPERA: "Não sei por que essa marca de macarrão se chama Hamburger Helper. A gente pode muito bem passar sem o hambúrguer", diz o *alter ego* boa-vida do ator Randy Quaid, o Primo Eddie, na comédia *Férias Frustradas*, de 1983.

Mas a conta astronômica de Randy e sua esposa Evi – 10 mil dólares por hospedagem e serviço de quarto –, apresentada após uma breve estada no exclusivo San Ysidro Ranch, em Santa Bárbara, Califórnia, deixa claro que os gostos do ator se inclinam mais na direção de *Caviar Helper*. E não há qualquer problema nisso, salvo pela última missão ignorada pelo astro de *A Última Missão*: pagar a conta.

de mal A PIOR:

Nesse ínterim, de volta ao hotel, os ânimos se exaltam. Após semanas tentando receber dos Quaid, o hotel entra na justiça contra ele por fraude e conspiração. Mesmo assim, o casal decide ignorar cinco datas marcadas pelo tribunal – o tempo todo lutando com sua equipe de advogados.

Frustrado, um juiz de Santa Bárbara manda a polícia prender o casal. Evi resiste à prisão, depois paga fiança e, numa rua local de grande movimento, estaciona um caminhão exibindo um cartaz pintado à mão em que acusa o policial que efetuou sua prisão de aceitar suborno. O policial a processa por difamação.

deu no que DEU:

Seguindo meses de batalhas legais e acusações ferozes, os Quaid finalmente têm seu dia no tribunal. Em um bizarro pedido de clemência, o ator algemado estende seu Globo de Ouro de 1988 por *A Conquista do Poder*, e, abatido, diz ao juiz: "Está vendo? Eu era um vencedor." Ao mostrar a prova de pagamento da conta do hotel, Randy tem a acusação retirada. Mas Evi não dá tanta sorte. É condenada a prestar 240 horas de serviços comunitários.

reflexões POSTERIORES:

O estranho comportamento dos Quaid vem à tona pela primeira vez em 2008, durante uma disputa de pagamento com uma funcionária do Actors' Equity (o sindicato dos atores teatrais dos Estados Unidos), que alega que o casal a ameaçou – "Nós vamos te pegar"–, além de chamá-la de "vadia nazista". Dias depois, um juiz de Los Angeles concede à Actors' Equity uma ordem de restrição contra os Quaid.

DR. DÃÃÃLITTLE

a MÁ IDEIA: Oferecer carona a uma "mulher" cambaleando pelo Santa Monica Boulevard às quatro da manhã.

o gênio por TRÁS DELA: O humorista Eddie Murphy

a sacada ACONTECEU: 2 de maio de 1997

resumo da ÓPERA:

Revirando-se na cama numa noite de insônia, uma quinta-feira, o ator/comediante Eddie Murphy decide pegar o carro da esposa e ir a uma banca de jornais em West Hollywood, ali pertinho, para dar uma olhadinha nas... novidades.

Ao voltar para casa, o astro do filme prestes a chegar às telas, *Dr. Doolittle*, encontra uma delicada donzela em apuros. Ele nota que a moçoila está "com algum problema", cambaleando por um trecho barra-pesada do Santa Monica Boulevard. Num ato de compaixão (ou de extrema estupidez), Murphy para o veículo, abre a porta do passageiro e lhe oferece uma carona.

de mal A PIOR: Três quilômetros adiante, o astro de *Um Tira da Pesada* é surpreendido por um carro sem identificação do xerife de Los Angeles. Os policiais abordam Murphy com duas informações um pouco perturbadoras: primeiro, sua passageira não é nenhuma donzela, e sim um sujeito chamado Atisone Seiuli, de 20 anos de idade, de Los Angeles. Segundo, ele é um travesti que faz michê, com vários mandados pendentes de prisão por prostituição.

deu no que DEU: De acordo com os registros, Seiuli alega que, durante sua breve estada no utilitário esportivo do ator, Murphy lhe entregou duas notas de 100 dólares e perguntou: "Posso ver você de lingerie?" e "Que tipo de sexo você gosta?", além de fazer várias perguntas sobre os pés do traveco.

Quebrando a cara em grande estilo, o caroneiro travesti de Murphy é preso por violar a condicional da condenação anterior por prostituição. Insistindo que só deu a Seiuli uma carona "de bom samaritano", Murphy não recebe qualquer acusação.

reflexões POSTERIORES: Em 2005, insinuando que o maridão Eddie estava menos interessado em comprar jornal do que em afogar o ganso, a esposa, Nicole, menciona o fiasco com a prostituta em uma tentativa de invalidar o acordo pré-nupcial do casal durante um divórcio litigioso.

"Ele me disse que havia uma pessoa na esquina chorando, e que só parou para ajudar. Mas eu pensei com os meus botões: 'Então, por que a deixou entrar no carro?'" O divórcio dos Murphy foi homologado em 2006.

Mais de O Melhor do Pior: Falhou e Disse (ou Vice-Versa)

Cinco das Piores Ideias na História da Presidência Norte-Americana

Má Ideia de 1875:
A Cigana me Enganou.

Como líder militar, ele tem um olho de lince. Como avaliador de quem é nomeado para o governo, é mais cego que o Mr. Magoo. Herói da vitória do Norte na Guerra Civil, o Presidente Ulysses S. Grant pode ter sido o pior conhecedor da alma humana na história da presidência.

Escolhido por ele para ocupar o cargo de Secretário do Tesouro, William Richardson é flagrado recebendo propina de um coletor de impostos. A infame "Quadrilha do Uísque" implica o secretário particular de Grant em um esquema de fraude fiscal de destilarias. Seu Ministro do Interior alegadamente aceita suborno para garantir concessões de terras – enquanto seu Ministro da Marinha é acusado de receber propina em segredo de construtores navais. Ao todo, onze escândalos abalam seus dois mandatos, manchando sua reputação, até então impecável, para sempre.

Má Ideia de 1928:
A Grande Desregulamentação.

Acreditando firmemente na primazia das grandes negociações e na passividade do governo, o Presidente Herbert Hoover, republicano, defende a desregulamentação de Wall Street e a política econômica do *laissez faire*. A Grande Depressão se instala rapidamente (e seguem-se vinte anos consecutivos de presidentes democratas, após Hoover desocupar o gabinete).

Má Ideia de 1964:
Vietnãããõõõ!

Os presidentes Eisenhower e Kennedy acreditam que o conflito no Vietnã não merece um envolvimento maior dos Estados Unidos do que os palpites dados por certos conselheiros militares.

O Presidente Lyndon Johnson pensa diferente. Ele eleva o lance e envia mais de 530 mil soldados para o Vietnã até 1968. Ao mesmo tempo, introduz novos programas sociais revolucionários, como o Social Security e o Medicaid. Resultado: mais de 58 mil americanos morrem nessa guerra estúpida. E as caras e múltiplas iniciativas militares ajudam a mergulhar os Estados Unidos na profunda recessão dos anos 1970.

Má Ideia de 1984:
Uma Grande Contra-Dição.

Os Contras da Nicarágua que lutam contra os sandinistas apoiados por Cuba são, para o Presidente Ronald Reagan, "guerreiros da liberdade" – sob alguns aspectos, "o equivalente moral de nossos Pais Fundadores". Mas a Emenda Boland proíbe a CIA e o Departamento de Defesa de apoiar essas forças rebeldes. Depois de prometer jamais negociar com terroristas, Reagan contradiz sua diretiva ao vender armas para o Irã em troca da libertação de três dos sete reféns norte-americanos mantidos em seu poder. O dinheiro da venda é, então, desviado, por baixo dos panos, para financiar os Contras. Catorze pessoas são mais tarde acusadas de crimes. E a imagem de honestidade e integridade do presidente acaba comprometida.

Má Ideia de 2000:
(Re)Conte Comigo!

O candidato democrata Al Gore vence a eleição (voto popular) presidencial de 2000 por mais de 500 mil votos. Mas ele perde na contagem do Colégio Eleitoral – e, portanto, a eleição – para George W. Bush, com 266 votos contra 271. A campanha de Gore decide contestar a apuração dos votos na Flórida em quatro condados estratégicos, de inclinação democrata. Segue-se uma recontagem. A Corte Suprema dos EUA, então, interrompe a recontagem, argumentando que ela viola a cláusula de proteção igualitária da Constituição dos EUA ao visar apenas alguns votos estaduais, e não todos. Com isso, Bush é declarado vencedor. Mas, se os advogados de Gore tivessem solicitado uma recontagem de todos os votos do estado, nenhuma violação da cláusula teria sido alegada. E, segundo algumas análises da recontagem, Gore poderia ter sido o vencedor na Flórida – e, portanto, na eleição inteira.

INVENÇÕES INEPTAS, Produtos Patéticos E SERVIÇOS Sem Sentido

GORDURINHA QUE DESCE *Fácil*

A MÁ IDEIA: Olestra.

os gênios por TRÁS DELA: Cientistas da Procter & Gamble especialistas em aditivos em alimentos

a sacada ACONTECEU: 1968

resumo da ÓPERA:

Desde os primórdios até hoje em dia, os americanos se veem encurralados por uma grande questão existencial: "Como é que eu posso enfiar punhados de gordices no meu estômago dilatado sem deixar minhas artérias mais duras do que bunda de estátua?"

Finalmente, em 1968, a P&G descobre a solução: Olestra. Graças a esse novo substituto da gordura quimicamente manipulada, agora podemos consumir grandes quantidades de batatas fritas, biscoitos, cream crackers e muito mais – sem uma gota de colesterol e... de preocupação. Porém, há um probleminha bastante indigesto.

de mal A PIOR: O Olestra não tarda a ser associado a doenças digestivas agudas. Por pressão dos defensores da saúde, o Governo Federal ordena que todos os produtos com Olestra exibam um rótulo advertindo sobre os possíveis efeitos colaterais, que incluem cólicas abdominais, diarreia e uma estranha enfermidade chamada "vazamento anal".

deu no que DEU: Depois de um período inicial de aceitação por parte do público, as vendas dos produtos com Olestra despencam 50% em um espaço de dois anos. Mais de 20 mil queixas de consumidores relacionadas a problemas de saúde são apresentadas. E a promessa inicial do aditivo, de oferecer petiscos saudáveis e livres de culpa, se torna uma piada de mau gosto.

reflexões POSTERIORES: Hoje o Olestra é usado como ingrediente em produtos para escurecer deques e em lubrificantes de máquinas. Nham, nham! Embora seja proibido no Reino Unido e no Canadá, ele ainda pode ser encontrado com o nome de Olean em alguns petiscos fabricados nos Estados Unidos.

Uma
IDEIA MATADORA
para SALVAR VIDAS

a MÁ IDEIA: Decidir salvar vidas de soldados inventando uma maneira melhor de matá-los.

o gênio por TRÁS DELA: Dr. Richard J. Gatling

a sacada ACONTECEU: 1861

resumo da ÓPERA:

Na mesma época em que Louis Pasteur cria sua técnica pioneira de prevenção de doenças por meio da pasteurização do leite, o dr. Richard Gatling resolve conceber uma estratégia diferente – e macabra – para aumentar a saúde e a longevidade humanas: inventar uma máquina de matar melhor.

Chocado com o sangrento massacre do conflito mais mortal dos EUA – a Guerra Civil, que ainda está em curso –, Gatling põe mãos à obra para criar uma arma que, pela própria eficiência dos disparos, permitirá que um único soldado faça o trabalho de um batalhão inteiro. A necessidade de grandes exércitos, por motivos contraintuitivos, seria eliminada, com isso diminuindo as mortes em massa e o potencial de destruição dessa guerra – e de qualquer outra.

de mal A PIOR:

Num contraste gritante com o velho mosquete de um tiro só, o protótipo da "metralhadora" concebido por Gatling dispara um número de balas sem precedentes – 350 por minuto. No final da Guerra Civil, o exército da União inclui a *revolucionária* arma no seu arsenal – com efeitos devastadores –, o que ajuda a forçar os Confederados a se renderem.

deu no que DEU:

Os ingleses no Egito, os russos na Ásia Central e os Estados Unidos na Guerra Hispano-Americana amaram a ideia. Altruisticamente concebida para diminuir o número de fatalidades numa guerra, a incrível arma de Gatling fez justamente o contrário, multiplicando a taxa de mortalidade à enésima potência em dezenas de conflitos mundo afora.

reflexões POSTERIORES:

Com a adoção de armas menores e mais leves, a Gatling Gun se tornou obsoleta no início do século 20. Ainda assim, sua capacidade de manter fogo ininterrupto, sem superaquecer, fez com que, desde então, essa metralhadora viva em constante processo de aperfeiçoamento. Hoje, "Gatlings" podem ser encontradas em aviões A-10 Thunderbolt II Warthog e em uma variedade de helicópteros de ataque.

AIII!!!
Essa Doeu

a MÁ IDEIA: Inventar uma máquina que acabará se tornando uma das mais populares do mundo, e então vender depressa os direitos de patente por uma ninharia.

o gênio por TRÁS DELA: Walter Hunt, inventor prodígio/desgraça nos negócios

a sacada ACONTECEU: 1849

resumo da ÓPERA: Inventor desde a adolescência, Hunt é o Super-Homem quando se trata de conceber inovações revolucionárias: a máquina de costura, a caneta-tinteiro e o rifle de repetição, entre outras. Mas o cara é criptonita quando se trata de negócios. Por isso, enquanto quebra a cabeça, outros lucram com os produtos que ele cria.

de mal A PIOR: Um dia, enquanto curva e modela um pedaço de arame comum, Hunt bola um novo artefato revolucionário: o alfinete de segurança.

E ele tem o bom-senso de patentear a genial ideia. Mas horas depois, por estar apertado de grana, tem a insensatez de vender os direitos de patente para a W.R. Grace & Co., pela ninharia de 400 dólares.

deu no que DEU: O alfinete de segurança – oferecendo um fecho mais seguro para fraldas de bebês e roupas do que os alfinetes retos tradicionais – se torna um produto essencial nos lares e escritórios dos EUA, rendendo à W.R. Grace presumíveis milhões ao longo dos anos, graças ao modestíssimo investimento de 400 pratas.

reflexões POSTERIORES: Em 1858, a Singer Sewing Company concorda em pagar a Hunt a então enorme quantia de 50 mil dólares pelo seu desenho da máquina de costura. Levando a má sorte financeira para o cemitério, Hunt bate as botas alguns meses depois – antes mesmo que a Singer possa pagar a primeira parcela do valor.

MAL Na FITA

a MÁ IDEIA:

A fita cassete (cartucho) de oito faixas.

os gênios por TRÁS DELA: Os audiófilos da RCA Victor, Motorola, Ampex, Ford, General Motors e Lear Jet

a sacada ACONTECEU: 1964

resumo da ÓPERA: Na busca frenética por um formato de fita prático, durável, de alta fidelidade, adequado para executar gravações musicais em automóveis, um consórcio de megafabricantes de veículos e eletrônicos toma uma decisão espantosa: consultar um doido varrido.

Inspirado por Earl "Louco" Muntz, conhecido por seu comportamento extravagante como garoto-propaganda na tevê e criador do cartucho de fita de *loop* contínuo Stereo-Pak, o grupo concebe um novo sistema de leitura musical: o cassete de oito faixas. E, embora soe ótimo no papel, o cassete de oito faixas, infelizmente, soa muito mal nos automóveis.

de mal A PIOR: Em primeiro, os aficionados do áudio se queixam de que o sibilo do cassete de oito faixas reduz a qualidade do som. Segundo defeito: os cassetes de oito faixas ficam mudando toda hora as faixas no meio da execução da música, numa espécie de *cantus interruptus*.

Além disso, os cassetes de oito faixas também têm o inconveniente de não poderem ser rebobinados. Para ouvir sua música favorita de um dado álbum, você tem que esperar até que ela chegue de novo. E o pior é que essas octobombas são caras – principalmente quando comparadas com as fitas cassetes compactas que acabam de ser lançadas.

deu no que DEU: Embora brevemente populares na década de 1970, os cassetes de oito faixas são logo eclipsados pelos cassetes compactos, por serem menores, mais baratos, livres de ruídos e rebobináveis – e, mais tarde, pelos CDs. No fim da década de 1980, o formato começa a deixar de ser produzido, tornando-se uma relíquia da era do poliéster.

reflexões POSTERIORES: O *Fleetwood Mac's Greatest Hits*, lançado em novembro de 1988, é considerado o último álbum comercial de oito faixas lançado por uma grande gravadora. Um pequeno – mas ávido – grupo de colecionadores é quem mantém o formato vivo nos dias de hoje.

ELES APOSTARAM NOS PÔNEIS...
e Deram com os Burros n'Água

a MÁ IDEIA: O Pônei Expresso.

os gênios por TRÁS DELA: William H. Russell, William B. Waddell e Alexander Majors

a sacada ACONTECEU: Janeiro de 1860

resumo da ÓPERA:

Com a Guerra Civil prestes a estourar, os sócios Russell, Waddell e Majors têm a astúcia de prever a necessidade de acelerar as comunicações, vitais nas fronteiras americanas em expansão.

Mas, em vez de investirem no campo incipiente das mensagens eletrônicas, o trio cabeça-dura decide investir seu dinheiro no velho e antiquado cavalo de potência – criando a legendária empresa de entregas batizada de Pony Express (Pônei Expresso). E, embora a empresa seja bem equipada em matéria de ferraduras, o empreendimento se revela tudo, menos uma pule de dez.

de mal A PIOR:

Cobrindo um percurso de 3.500 quilômetros de St. Joseph, Missouri, até Sacramento, na Califórnia, o Pônei Expresso mediano, de 60 quilos, entrega um saco de cartas de nove quilos em pouco menos de 10 dias (trocando de cavaleiro a cada 120-160 km). A tarifa: cinco dólares por uma única missiva.

Esse é que é o problema: o novo telégrafo transcontinental já começa a se estender por toda a nação, com o poder de despachar mensagens em questão de minutos pelo preço de alguns centavos. Ao transmitir seus primeiros pontos, o telégrafo logo dá um baita coice nas esperanças de um Pônei Expresso bem-sucedido.

deu no que DEU:

Depois de apenas um ano e sete meses em operação – e um prejuízo de milhões de dólares –, o Pônei Expresso galopa rumo ao grande estábulo celestial. E seus fundadores... vão à falência.

reflexões POSTERIORES:

Hoje, pode-se enviar uma carta lá para o outro lado do mundo por uma bagatela. Isso é pinto (e não cavalo) comparado com a tarifa de 5 dólares (100 dólares na moeda atual) que o Pônei Expresso cobrava pelo mesmo serviço. E se a carta tivesse um destinatário insular?

RETA–Dardo

a MÁ IDEIA: Criar um jogo para ser praticado ao ar livre que exige que as crianças atirem dardos metálicos enormes, pesados e afiados.

os gênios por TRÁS DELA: Os fabricantes de brinquedos Hasbro, Regent e mais uma dúzia de outros

a sacada ACONTECEU: Final da década de 1950

resumo da ÓPERA:

Que nome você daria a um jogo para ser praticado ao ar livre em que um dos jogadores lança um dardo de 40 centímetros de comprimento, com uma pesada ponta de metal, esperando que ele atravesse um bambolê e se finque na grama aos pés do oponente a uns seis metros de distância? Você lhe daria o nome de "dardos de ar livre", "dardos de jardim", "jogo do míssil" – ou, talvez, "o brinquedo infantil mais idiota e perigoso que já inventaram".

de mal A PIOR:

Durante um piquenique em família, no auge da diversão com os dardos, três crianças são chocante, mas previsivelmente, empaladas e mortas pelos enormes dardos nas décadas de 1960 e 1970. Mais de seis mil sofrem ferimentos graves – a maioria com menos de 10 anos de idade. Com suas qualidades letais agora manifestas, os dardos de ar livre (Jarts) são usados em um assassinato numa briga de gangues em Post Falls, Idaho, no ano de 1980.

deu no que DEU:

Citando essas mortes e numerosos ferimentos, a Comissão dos Consumidores para a Segurança dos Produtos proíbe a comercialização dos Jarts nos Estados Unidos em 1988. No ano seguinte, a venda também é proibida no Canadá. Hoje, os dardos de jardim ainda são proibidos de serem comercializados – até no eBay.

reflexões POSTERIORES:

Anualmente, desde 1997, a cidade de Bellefontaine, em Ohio, sedia um torneio anual da "brincadeira", oferecendo um prêmio de 300 dólares para o primeiro colocado. Kits clandestinos do jogo (que se tornou cult) ainda podem ser encontrados na internet.

UMA MANEIRA Estúpida DE Avaliar A INTELIGÊNCIA

a MÁ IDEIA:

O teste de QI.

o gênio por TRÁS DELA: O psicólogo francês Alfred Binet

a sacada ACONTECEU: 1911

resumo da ÓPERA:

Enquanto seu primo Charles Darwin teoriza sobre as origens da espécie humana, o cientista francês Frances Galton teoriza sobre as origens da inteligência humana – e afirma que essa inteligência é mensurável.

Trabalhando em cima da hipótese de Galton, Alfred Binet e o psicólogo Lewis Terman, da Universidade de Stanford, criam o Quociente de Inteligência Stanford-Binet. É o primeiro teste de inteligência humana. E, embora seja amplamente adotado, seus críticos declaram que ele é QI: Questionável e Incompleto.

de mal A PIOR:

A principal acusação: o teste de QI avalia apenas o raciocínio, o vocabulário e a solução de problemas. A criatividade não é considerada. A intuição não é avaliada. A originalidade, o humor, a aptidão verbal – muitas das características do intelecto – não são mensuradas. Portanto, seus oponentes alegam que o QI é um indicador fraco (se não falso) da verdadeira inteligência e das futuras realizações.

deu no que DEU:

"A inteligência é uma coisa muito mais complexa do que o que o teste mede", argumenta o dr. Morton Beiser, da Universidade de Toronto.

Além disso, o psicólogo Howard Gardner, de Harvard, um pioneiro na pesquisa da "inteligência interpessoal" (habilidades sociais) e da "inteligência intrapessoal" (autoconhecimento), observa que os testes de QI não medem nenhuma das duas e, portanto, não constituem o modo mais inteligente de avaliar a inteligência.

reflexões POSTERIORES:

Apesar de seus defeitos, o teste de QI, uma relíquia da era industrial, continua sendo o indicador de inteligência mais aceito nos dias de hoje.

BOBEOU...
Sambou

a MÁ IDEIA: Batizar uma cadeia de restaurantes com um termo depreciativo usado para afro-americanos.

os gênios por TRÁS DELA: Sam Battistone e Newell Bohnett

a sacada ACONTECEU: 1957

resumo da ÓPERA:

Quase todo mundo na pacata cidade costeira de Santa Bárbara, na Califórnia, conhece o *restaurateur* Sam Battistone como o bom e velho "Sam". Seu sócio, Newell Bohnett, foi carinhosamente apelidado de "Bo". Por isso, quando os dois se reúnem para abrir um restaurante, eles decidem juntar seus nomes e batizar sua adorada cafeteria de "Sambo's".

Uma escolha inocente, ao que parece. Menos quando você considera que os afro-americanos vêm sendo alvo de deboche com a gíria racista "sambo" desde a publicação de *The Story of Little Black Sambo* em 1899.

de mal A PIOR:

Como se isso já não fosse bastante ruim, Sam e Bo resolvem faturar em cima da notoriedade do livro, decorando a rede de restaurantes com a imagem de um garoto de pele escura brincando com tigres na selva.

É o final da década de 1970. Agora com duzentas unidades espalhadas por quarenta e sete estados, a rede de restaurantes é bombardeada por protestos de grupos de direitos civis – que consideram o nome "Sambo's" e a imagem do logotipo (que alegam caracterizar os negros como preguiçosos e infantilizados) degradantes.

deu no que DEU:

Os donos reagem, rebatizando o restaurante de "The Jolly Tiger" ("O Tigre Pimpão"). Em 1981, outros recebem o nome de "No Place Like Sam's" ("Não Há Lugar como o Sam's"). Mas os lucros da empresa se dissolvem mais depressa do que manteiga em pão quente. A rede vai à falência. E, em 1982, todos os restaurantes fecham as portas, menos o Sambo's original.

reflexões POSTERIORES:

Tendo sido também o primeiro dono do New Orleans Jazz da NBA, Sam Battistone deixa o restaurante como herança para o neto, o *restaurateur* Chad Stevens, que hoje administra o único Sambo's que restou, em Santa Bárbara.

NOVA *Coca* PERDE TODO O GÁS JÁ NO *Lançamento*

a MÁ IDEIA: Mudar a fórmula do sabor do refrigerante mais popular do mundo.

os gênios por TRÁS DELA: Os altos executivos da Coca-Cola

a sacada ACONTECEU: 1985

resumo da ÓPERA: Em meio à exuberante prosperidade dos EUA pós-Segunda Guerra Mundial, a Coca-Cola é o refrigerante preferido por 60% do mercado. Ainda assim, em 1983, sua arquirrival, Pepsi, começa a vender mais do que a Coca entre o cobiçado público jovem. Quando a fatia do mercado da Coca diminui para 24%, o CEO da empresa, Roberto Goizueta, ordena uma total reformulação nas operações da empresa. Até mesmo a centenária fórmula secreta da Coca-Cola é reavaliada. Apesar de seu reinado que já dura há gerações como o refrigerante mais vendido do mundo, "A Autêntica" – um tranquilo bastião de estabilidade agora suando no calor da competição – está pronta para mudar de sabor.

de mal A PIOR: Os pesquisadores da Coca-Cola se espalham pela América munidos de amostras da Nova Coca (New Coke), uma versão ligeiramente mais doce e semelhante à Pepsi.

Em testes cegos, os consumidores preferem a Nova Coca à Coca tradicional e à Pepsi por uma ampla margem. Em grupos de foco, no entanto, a Nova Coca é recebida com muito menos entusiasmo. Ainda assim, a diretoria da Coca-Cola, com uma sede de leão, lança "o novo sabor da Coca-Cola" para marcar a comemoração do centenário da empresa em 1985. A reação do público, principalmente entre os fãs fiéis do refrigerante, é pra lá de choca.

deu no que DEU: Em poucos dias, a empresa recebe mais de 400 mil ligações desoladas e cartas furiosas. Um psiquiatra contratado para avaliar o teor das ligações dos consumidores afirma que parecem pessoas lamentando a morte de um parente. Até Fidel Castro critica a medida como mais um exemplo da "decadência americana".

Sob a ameaça de um boicote – apenas três meses após seu nascimento histórico –, a Nova Coca já é coisa do passado. A Coca com a fórmula tradicional, agora chamada de Coca-Cola Clássica (Classic), é reintroduzida. E, após centenas de milhões de dólares gastos em testes e marketing da Nova Coca, os executivos concluem que simplesmente subestimaram o "apego profundo e duradouro" do público ao sabor original.

reflexões POSTERIORES: No fim de 1985, as vendas da Coca-Cola Clássica desbancam em peso as da Nova Coca e da Pepsi, consolidando seu status de Refrigerante Número 1 que continua até hoje – o que levou alguns teóricos da conspiração a argumentarem que a Nova Coca foi apenas um golpe de marketing para aumentar as vendas da Coca original. Será?

Uma CALAMIDADE PÚBICA

a MÁ IDEIA: Usar uma peruca nas suas partes privadas.

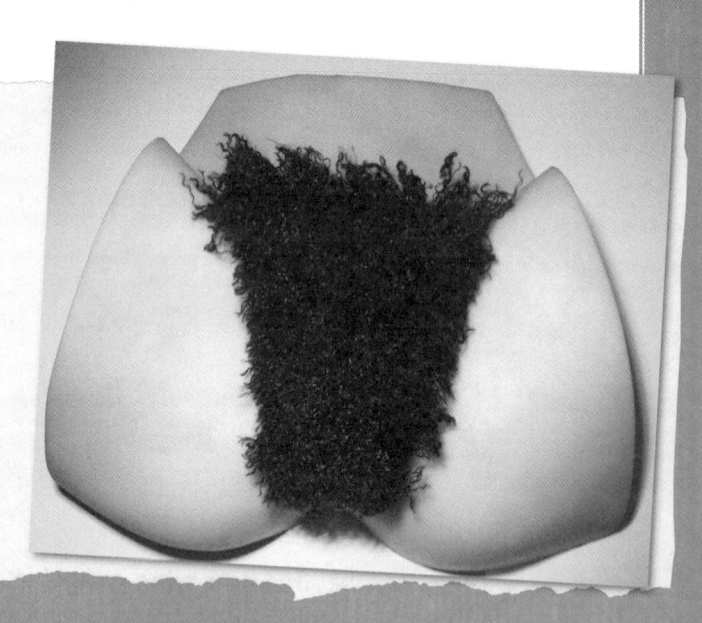

os gênios por TRÁS DELA:	Prostitutas europeias
a sacada ACONTECEU:	1617

resumo da ÓPERA:

As prostitutas do século 17 têm um problema púbico que se tornou público. O hábito de fazer *aquilo* com marinheiros, agricultores, andarilhos e vagabundos sujos e infestados de piolhos deixou as profissionais do sexo cheias de parasitas nas partes pudendas. E isso está sendo péssimo para os negócios.

Assim sendo, numa tentativa de expulsar os indesejáveis piolhos de sua densamente florestada base de operações, as prostitutas raspam os pelos pubianos. E depois, para esconder esse fato da clientela, muitas usam uma peruca no púbis, conhecida como *merkin*.

de mal A PIOR:

Só que, embora as *merkins* possam ser ótimas para esconder a xereca infestada de uma prostituta, elas não ajudam em nada a eliminar a infestação original. Desse modo, os parasitas encontram novos hospedeiros e se espalham cada vez que a trabalhadora leva um novo cliente para a cama.

deu no que DEU:

Para não falar no fato de que as próprias *merkins* são um paraíso para as bactérias e outros parasitas, o que as torna tão problemáticas quanto os pelos pubianos originais que elas substituem. E o pior é que as *merkins* mascaram as evidências da sífilis, um dos grandes e mortais flagelos daquela época.

reflexões POSTERIORES:

Hoje, as *merkins* – feitas para serem usadas uma só vez, descartáveis e *muito* mais higiênicas – são utilizadas por atores e atrizes de cinema, para impedir a exposição inadvertida de sua genitália durante cenas de nudez ou seminudez.

WD-528.000.000.000

a MÁ IDEIA:

Vender por míseros 10 mil dólares os direitos de um produto que já rendeu um lucro de 500 bilhões.

o gênio por TRÁS DELA: Norman B. Larsen, investidor/químico

a sacada ACONTECEU: Meados da década de 1950

resumo da ÓPERA:

O incansável Larsen e sua minúscula Rocket Chemical Company experimentam trinta e nove fórmulas diferentes, destinadas a proteger a camada externa do foguete America Atlas da corrosão causada pela umidade. Na quadragésima tentativa, os gênios da RCC finalmente obtêm o óleo, descobrindo uma versátil fórmula chamada WD-40 – sendo o "WD" uma sigla para *water dispersing* (dispersão de água), e o 40 para comemorar a quadragésima tentativa de acerto.

Exibindo o intelecto de um inventor de primeira classe – combinado com a intuição de um homem de negócios de quinta categoria –, Larsen vende sua participação na florescente operação do WD-40 por míseros 10 mil dólares, alegando que poderá inventar algo melhor.

de mal A PIOR:

Pouco tempo depois, os funcionários da RCC começam a encontrar usos domésticos comuns para o produto. Sua fórmula, à base de hidrocarboneto não volátil, é ideal para lubrificar dobradiças, desatarraxar parafusos e roscas, remover adesivos e centenas de outras aplicações criativas.

Em 1958, o WD-40 começa a aparecer nas lojas de San Diego. Em 1960, a empresa já dobrou de tamanho. Treze anos depois, renomeada de WD-40, a empresa é leiloada. Seu preço na Bolsa de Valores sobe 61%. Em 1993, quatro em cinco lares americanos compram 1 milhão de latas desse incrível produto a cada semana.

deu no que DEU:

Hoje, a empresa que Norman Larsen vendeu por uma ninharia tem um valor de mercado de 528 bilhões de dólares.

reflexões POSTERIORES:

Embora não tenha inventado mais nada cujo sucesso se igualasse ao do WD-40, Larsen continua na ativa, finalmente criando o Free N' Kleen, que ele considera superior ao WD-40. Mas, pouco depois de sua morte prematura aos 47 anos de idade, o Free N' Kleen acaba sendo retirado de mercado.

POLÍTICOS *Politicamente* INCORRETOS

IATE *Afunda*... CAMPANHA PRESIDENCIAL

a MÁ IDEIA: Desafiar a mídia a flagrar você tendo um caso extraconjugal.

o gênio por TRÁS DELA: O Senador Gary Hart

a sacada ACONTECEU: 1987

resumo da ÓPERA: Na esteira de aparições extremamente bem-sucedidas nas primárias presidenciais democráticas de 1984, o quase desconhecido Senador Gary Hart, do Colorado, tem tudo para ser o indicado na corrida presidencial de 1988.

Mas, na estrada para a indicação, o caráter de Hart é assediado por revelações um tanto preocupantes: a de que, à surdina, ele mudou o sobrenome, Hartpence; a de que alega ser um ano mais novo do que mostra sua certidão de nascimento; a de que alterou sua assinatura várias vezes durante toda a vida adulta; e a de que se separou da esposa três vezes.

de mal A PIOR: Declarado um doidivanas mulherengo por seus adversários, Hart combate os boatos de que teve um caso extraconjugal desafiando a imprensa a "me seguir por toda parte. Não me importo. Se alguém quiser colocar um detetive atrás de mim, fique à vontade. Ele vai morrer de tédio."

Então, os repórteres do *Miami Herald* aceitam o desafio. Espreitando a residência de Hart em Washington, eles noticiam ter visto uma jovem saindo do local na noite de 2 de maio. Dias depois, é publicada uma foto da mesma mulher, Donna Rice, sentada no colo de Hart após um passeio num iate batizado com o conveniente nome de *Monkey Business* (Negócio Desonesto/Safadeza). Com os números nas pesquisas despencando mais rápido do que a âncora do iate, Hart, contrito, retira sua candidatura na semana seguinte.

deu no que DEU: Em dezembro de 1987, no auge de uma nova onda de fervor populista, Hart promete "deixar o povo decidir" e volta à corrida. O povo, ao que parece, já decidiu: Hart obtém desanimadores 4% nas primárias de New Hampshire. E abandona as pretensões presidenciais de uma vez por todas.

reflexões POSTERIORES: Embora jamais torne a ocupar um cargo público, Hart obtém um doutorado em Oxford no ano de 2001 – e, em 2006, aceita um cargo de professor (*endowed*) na Universidade do Colorado em Denver. Alguns analistas políticos notam que suas indiscrições sexuais – unidas às revelações dos casos extraconjugais do ex-Presidente John F. Kennedy – ajudaram a abrandar a reação dos americanos em relação ao assunto (por exemplo, fazendo com que a opinião pública se opusesse ao impeachment do Presidente Bill Clinton devido a seu caso com a ex-estagiária Monica Lewinsky no fim da década de 1990).

FITA ADESIVA *Deixa* ESPERTALHÃO *Todo* ENROLADO

a MÁ IDEIA:

Ao invadir o escritório do Comitê Nacional Democrata, usar uma fita bem grossa e fácil de detectar para manter a porta aberta.

o gênio por TRÁS DELA: O expert em eletrônica, ex-agente da CIA e capanga de Watergate, James W. McCord Jr.

a sacada ACONTECEU: 17 de junho de 1972

resumo da ÓPERA: Altos membros do comitê de reeleição do Presidente Richard M. Nixon ouvem dizer que seu oponente, o candidato democrata à presidência George S. McGovern, pode ter recebido contribuições ilegais para sua campanha, de benfeitores na Cuba comunista.

Ao ouvir tal notícia, G. Gordon Liddy, membro da campanha de Nixon, entra em ação. Ele arregimenta McCord e mais cinco homens para invadir a sede do Comitê Nacional Democrata no complexo de Watergate, em Washington, à procura de indícios de uma possível conexão entre McGovern e Cuba.

de mal A PIOR: Em uma noite de junho de 1972, um segurança em Watergate nota que a lingueta da porta que leva à sede do CND está presa com fita adesiva. Ele retira a fita e continua a ronda. Uma hora depois, observa que a lingueta voltou a ser colada – uma prova de que há um intruso no prédio. Ele liga depressa para a polícia.

deu no que DEU: Os invasores – e mais tarde Liddy – são presos. E McCord, disposto a não segurar o rojão sozinho, logo implica membros do governo Nixon no crime. Um pedaço de fita adesiva comum abriu a porta para Watergate, o escândalo político mais infame do século nos EUA.

reflexões POSTERIORES: Nixon também não dá muita sorte com fitas de áudio. Gravações do Salão Oval ajudam a vincular seu governo a uma tentativa de esconder do público a invasão – levando ao impeachment e à demissão do presidente em 9 de agosto de 1974.

Sua ILUSTRÍSSIMA EXCELENTÍSSIMA MAJESTADE PRESIDENCIAL DOS ESTADOS UNIDOS

a MÁ IDEIA:

Decretar que o presidente dos Estados Unidos ostente o título oficial de "Sua Majestade Eletiva".

o gênio por TRÁS DELA: O Vice-presidente John Adams

a sacada ACONTECEU: 1789

resumo da ÓPERA: Um baluarte da Revolução Americana e forte defensor da Declaração da Independência contra a "tirania da monarquia britânica", o Vice-presidente John Adams decide, curiosamente, defender uma ideia sumamente antiamericana.

Como um dos Pais Fundadores da nação, ele nutre uma profunda antipatia pelos pomposos aristocratas europeus. Mas também acredita que o líder dos recém-formados Estados Unidos, para ser percebido como igual pelos reis e as rainhas que regem grande parte do mundo civilizado, precisa de um título mais régio do que o prático e prosaico "Presidente dos Estados Unidos".

de mal A PIOR: A seu pedido, o incipiente Congresso discute o título a ser concedido ao chefe do Executivo do país. Uma proposta: "Sua Excelência, o Presidente dos Estados Unidos." Outra sugestão interessante: "Sua Alteza, o Presidente dos Estados Unidos da América e Protetor dos Direitos da Mesma." O próprio Adams concebe títulos altissonantes, como "Sua Majestade o Presidente" e "Sua Alta Potestade".

deu no que DEU: Após um mês de intenso debate, os legisladores finalmente caem em si, optando por um título simples e básico: "Presidente dos Estados Unidos." Ironicamente, apenas oito anos depois, o próprio Adams irá atender por essa designação, como segundo comandante em chefe da América.

reflexões POSTERIORES: No auge do grande debate sobre o título presidencial, um congressista frustrado, num comentário sarcástico sobre a corpulência de Adams, refere-se ao vice-presidente como "Sua Rotundidade".

Uma IDEIA DO PERU ACABA DEPENADA (QUEM DÁ GRAÇAS *por uma* IDEIA DESSAS?)

a MÁ IDEIA:

Mudar a data do Dia de Ação de Graças.

o gênio por TRÁS DELA: O Presidente Franklin D. Roosevelt

a sacada ACONTECEU: 1939

resumo da ÓPERA: Enquanto a Grande Depressão persiste, o Presidente Roosevelt e seus conselheiros têm uma ideia brilhante para dar uma injeção de ânimo na apática economia dos Estados Unidos: antecipar o Dia de Ação de Graças, passando-o do final de novembro para sete dias antes.

Desse modo, raciocinam eles, os consumidores de Natal terão mais uma semana para comprar presentes, assim revigorando o moribundo comércio varejista. Eles têm a esperança de que a América engula com o maior prazer essa "pequena" mudança no calendário.

de mal A PIOR: Em vez disso, o povo, furioso, logo corta as asinhas da desmiolada ideia. Os calendários vão ficar inexatos, argumentam. Os jogos de futebol americano universitário terão que ser remarcados. Vovô e vovó são capazes de aparecer para comer peru recheado com molho de cranberry e acabar encontrando pizza calabresa. Chovem cartas iradas na Casa Branca.

deu no que DEU: Vinte e três estados se recusam a reconhecer a nova data do Dia de Ação de Graças proposta pelo governo. O Texas e o Colorado decidem celebrar a nova data... e a antiga também! No ano seguinte, Roosevelt volta atrás e transfere o feriado para o dia original.

reflexões POSTERIORES: Tempos depois, o Congresso aprova uma lei que define a última quinta-feira de novembro como sendo o Dia de Ação de Graças. Nunca mais essa ideia do peru vai fazer gluglu.

MÃO Fechada, Carta IDEM

a MÁ IDEIA: Recusar-se a aceitar qualquer carta com o carimbo de "tarifa a cobrar".

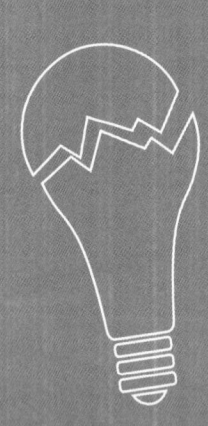

o gênio por TRÁS DELA: O general mão-fechada Zachary Taylor

a sacada ACONTECEU: 1848

resumo da ÓPERA:

Um grisalho veterano, com 40 anos de guerras nas costas contra a Inglaterra, os índios norte-americanos e o México, o General Zachary Taylor é o estereótipo do individualista ferrenho no folclore das fronteiras. Admiradores da jovem nação mandam ao Old Rough and Ready ("Velho Durão a Postos", seu apelido por lutar ao lado dos soldados) centenas de cartas – muitas com a tarifa a cobrar, uma prática bastante comum naqueles dias.

Mas o casmurro avarento instrui o chefe dos correios local a reter todas essas cartas, declarando que não pagará nem um centavo de postagem para receber as missivas que massageiam seu ego.

de mal A PIOR:

Infelizmente, essa economia de centavos acaba saindo caro. Porque Taylor é nomeado sem mais nem menos para a Presidência pelo partido dos whigs, fato de que foi notificado por carta enviada pela convenção do partido – e vejam só, com a tarifa a cobrar.

Os whigs não recebem resposta do seu nomeado. Semanas se passam. Por fim, os associados do general leem um artigo no jornal anunciando sua nomeação enviada pelos correios. Só então o destinatário recupera a carta, paga a tarifa e formalmente concorda em se candidatar à Presidência.

deu no que DEU:

Tendo vencido a eleição de 1848, o agora Presidente Taylor janta em comemoração, provando pratos preparados por populares da região. No entanto, alguns observadores tecem a sinistra especulação de que sua comida foi batizada com arsênico.

reflexões POSTERIORES:

Embora nenhuma prova conclusiva de envenenamento tenha sido jamais encontrada, Taylor morre tragicamente de gastroenterite pouco depois – apenas um ano e quatro meses após tomar posse.

A PONTE PARA LUGAR Nenhum

a MÁ IDEIA: A ponte para a ilha Gravina.

os gênios por TRÁS DELA: O Senador Ted Stevens, o Deputado Don Young e a Governadora do Alasca Sarah Palin

a sacada ACONTECEU: 2005

resumo da ÓPERA: Enquanto centenas de milhares de residentes do estado da Louisiana, fustigados pelos ventos, pela chuva, sem teto e famintos imploram por ajuda ao Governo Federal em meio à devastação causada pelo furacão Katrina, os poderosos em Washington estão muito ocupados com aquela que é, no momento, a prioridade máxima do governo dos EUA: fornecer a aproximadamente 50 habitantes do Alasca uma ponte multimilionária ligando sua remota ilha ao continente.

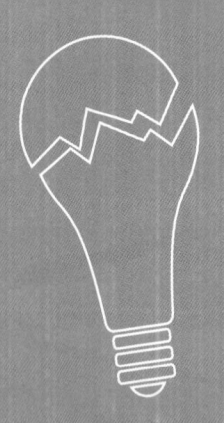

de mal A PIOR: Os vigilantes dos desperdícios em Washington e os jornalistas logo apelidam o monstrengo, que tem as dimensões da Golden Gate de São Francisco e está orçado em 398 milhões, de "Ponte para Lugar Nenhum" – uma enorme, suculenta fatia do filé do governo servida a meia dúzia de gatos pingados em uma época de grande necessidade para muitos.

deu no que DEU: Embora a ilha Gravina abrigue o Aeroporto Internacional Ketchikan, até as estimativas mais otimistas calculam que a controvertida ponte só receberá o trânsito de 950 pessoas por dia. (A já mencionada Golden Gate, em contraste, transporta aproximadamente 120 mil por dia.)

Com o ridículo nacional crescendo, o Senador Tom Coburn, de Oklahoma, introduz uma proposta para recuperar 223 milhões já embolsados pela ilha e redirecioná-los para o socorro às vítimas do Katrina. Apesar da ameaça do Senador Stevens de abandonar o Senado se a verba for revogada, o Congresso redireciona o suado dinheirinho do contribuinte para o estado da Louisiana. Em função disso, o projeto da ponte, até o dia de hoje, não foi a parte alguma.

reflexões POSTERIORES: O apoio da Governadora Palin ao projeto se torna um problema durante sua fracassada disputa pela Presidência em 2008. O Senador Stevens, entre acusações de corrupção não relacionadas, perde sua vaga de 40 anos no Senado na mesma eleição de 2008. Ele morre em um acidente de avião em 2010.

PERDEU O ENCONTRO
e Encontrou Deus

a MÁ IDEIA:

Adiar um encontro entre o Presidente William McKinley e o inventor/costureiro Casimir Zeglen.

os gênios por TRÁS DELA: O secretário particular de McKinley, George B. Cortelyou, e a equipe responsável pelos compromissos do presidente

a sacada ACONTECEU: Verão de 1901

resumo da ÓPERA:

Recém-reeleito e prestes a embarcar em uma turnê de discursos pelo país, McKinley é um político ocupado – até demais. Cortelyou e a equipe do presidente decidem se encontrar com Zeglen, que se ofereceu para presentear o comandante em chefe com um traje moderníssimo.

Contudo, Cortelyou e seu grupo resolvem adiar o encontro para depois que McKinley voltar de uma viagem à Exposição Pan-Americana em Buffalo, Nova York.

de mal A PIOR:

Na exposição, McKinley é confrontado pelo feroz anarquista Leon Czolgosz, que saca uma arma escondida em um lenço e atira no peito e no abdômen do presidente. Oito dias depois, McKinley morre.

deu no que DEU:

Mais tarde, um membro da equipe de McKinley se recorda do encontro adiado. Naquele encontro, Zeglen pretendia doar ao presidente um exemplar de sua invenção revolucionária: o colete à prova de balas. Um compromisso adiado que contribuiu para o assassinato do vigésimo quinto presidente dos EUA.

reflexões POSTERIORES:

Na esteira da morte de McKinley, o Congresso oficialmente encarrega o Serviço Secreto da proteção física dos presidentes norte-americanos.

QUANDO OS POLÍTICOS FATURAM AO SEU
Bell-Prazer

a MÁ IDEIA: Pagar a políticos de uma pequena cidade proletária salários maiores que o do presidente dos Estados Unidos.

os gênios por TRÁS DELA: A Câmara de Vereadores de Bell, na Califórnia

a sacada ACONTECEU: 2005

resumo da ÓPERA: Em uma eleição especial que promete inaugurar uma nova era para os 36 mil habitantes da cidade de Bell, no sul da Califórnia, apenas um ínfimo contingente de 400 pessoas comparece para votar. Mas esse parco 1% do eleitorado desencadeia uma série de acontecimentos que colocam a pequena municipalidade de dois quilômetros quadrados, com uma população composta principalmente por imigrantes, no centro de um dos mais notórios escândalos de corrupção na história recente dos Estados Unidos.

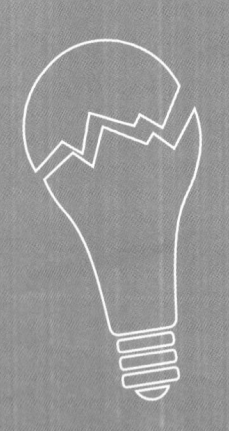

de mal A PIOR: Incentivado pelo desinteresse e desengajamento dos cidadãos, a classe política de Bell, mancomunada e liderada pelo estimado prefeito da cidade, Robert Rizzo, planeja alterar o estatuto do município – uma mudança que, discreta e astuciosamente, isentaria Rizzo e seus amigos das restrições salariais estaduais. Acreditando na afirmação de Rizzo de que a mudança no estatuto "aumentará o controle local", uma asnática maioria de eleitores de Bell se deixa *engabellar*.

Munidos de um novo estatuto, os poderosos da política de Bell concedem à surdina a Rizzo um salário anual de 800 mil dólares (Barack Obama recebe pouco mais da metade desse valor e um deputado federal recebe 376 mil por ano). Seu vice-prefeito fatura a assombrosa quantia de 457 mil por ano. Além disso, cada membro da prefeitura está na fila para "ganhar" mais de 100 mil dólares por ano – por um cargo de meio-expediente!

deu no que DEU: Em 2010, o *Los Angeles Times* expõe o escândalo de Bell, provocando a indignação local e nacional. Assustado com uma possível prisão, Rizzo sucumbe à pressão e se demite. Pouco depois, é a vez de seu vice e do chefe de polícia. Os membros da prefeitura, então, votam pelo corte de mais de 90% em seus salários (para se equipararem ao de um funcionário que, involuntariamente, vinha recebendo meros 8 mil dólares anuais desde o começo).

O então Procurador-geral Jerry Brown inicia uma investigação criminal contra Rizzo e seus asseclas. Uma reforma na legislação salarial é considerada. E a cidade de Bell fica soterrada sob uma montanha de dívidas.

reflexões POSTERIORES: Apesar dos processos judiciais, os especialistas afirmam que é provável que Rizzo e seus comparsas ainda tenham direito a receber milhões de dólares em pensões e indenizações.

E Agora, PRESIDENTE BILL(AU)?

a MÁ IDEIA:

Mentir sob juramento.

o gênio por TRÁS DELA: O Presidente William J. Clinton

a sacada ACONTECEU: 1997

resumo da ÓPERA:

Desde a época de sua vitória na eleição presidencial de 1992, Bill Clinton tem sido visto por seus oponentes como a personificação autoindulgente, egocêntrica, hipersexualizada e viciada em *junk food* da Geração Eu.

Apesar de sua inquestionável inteligência (foi bolsista da Rhodes) e capacidade política (já era governador aos 32 anos), Clinton, sabendo muito bem que seus inimigos estavam loucos para apanhá-lo, caiu direitinho na arapuca.

de mal A PIOR:

Em 1991, ele inicia um relacionamento sexual com a pseudo-recatada estagiária da Casa Branca, Monica Lewinsky. O caso dos dois chega ao conhecimento da Procuradora-geral Janet Reno, que dá ao promotor especial Ken Starr permissão para expandir sua investigação sobre o escândalo imobiliário Whitewater, de modo a incluir a questão com Lewinsky.

Em resposta, o presidente fala em cadeia nacional, balançando o dedo para os espectadores, e afirma: "Eu não tive relações sexuais com aquela mulher, a srta. Lewinsky." Mais tarde, ele nega o caso dos dois diante de um júri.

deu no que DEU:

Mas esperem aí, fãs dos tabloides. Lewinsky entrega a Starr uma prova incontestável de seus encontros com Clinton: um vestido manchado de sêmen. Apontado como perjuro, Clinton se torna o primeiro presidente desde Andrew Johnson a ser *impichado*.

reflexões POSTERIORES:

Após trinta e sete dias de intensas deliberações, o Senado rejeita o impeachment, alegando que a conduta do presidente não deu lugar a "traição, suborno ou outros crimes e delitos graves", conforme proíbe a Constituição dos EUA. Por fim, ele recebe uma multa e perde sua licença de advogado.

LEIAM MEUS LÁBIOS:
NÃO HAVERÁ NOVOS IMPOSTOS (ATÉ EU MUDAR DE IDEIA)

a MÁ IDEIA: Basear sua campanha presidencial na promessa de não aumentar impostos, mas, depois de eleito, aumentá-los na maior cara de pau.

os gênios por TRÁS DELA: O Presidente George H.W. Bush

a sacada ACONTECEU: 1988

resumo da ÓPERA: "Política" e "sutileza" são duas coisas que combinam tão bem quanto manteiga de amendoim com atum. E, em sua candidatura à Presidência, o Vice-presidente George H.W. Bush é quase tão sutil quanto uma paulada na moleira. Ele rotula seu oponente, Michael Dukakis, de "liberal em matéria de impostos e gastos" – e, no seu discurso de nomeação, apela para sua fama de conservador fiscal com a garantia inabalável: "Leiam meus lábios: não haverá novos impostos."

Passam-se quatro anos. Enquanto o agora Presidente Bush prepara sua campanha de reeleição, a economia da nação chega ao fundo do poço. Cada vez mais, o eleitorado atribui os problemas financeiros do país ao presidente republicano, principalmente com seu oponente Bill Clinton repetindo à exaustão o mantra da campanha democrática: "É a economia, estúpido."

de mal A PIOR: Numa tentativa de diminuir o déficit do orçamento federal e dar início à criação de empregos, Bush se rende ao Congresso dominado por democratas e assina um novo orçamento que, contrariando sua promessa feita quatro anos antes, aumenta os impostos existentes. Os leitores de lábios conservadores ficam apopléticos.

deu no que DEU: Republicanos e independentes crucificam Bush por renegar sua promessa de que não haveria mais impostos. Com a economia afundando, o relativamente desconhecido governador do Arkansas (embora já tenha sido vítima de um escândalo sexual), Bill Clinton, obtém vitória confortável com 43% dos votos.

reflexões POSTERIORES: George H.W. Bush se torna um dentre apenas sete presidentes a cumprir um mandato inteiro e não ser reeleito.

IGNORE AQUELA MONTANHA EXPLODINDO E VOTE EM MIM

a MÁ IDEIA:

Convencer o eleitorado a ignorar os roncos e a fumaça de um vulcão nas cercanias e continuar na cidade para votar.

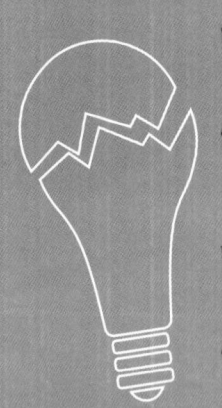

o gênio por TRÁS DELA: Louis Mouttet, governador da Martinica

a sacada ACONTECEU: 7 de maio de 1902

resumo da ÓPERA:

Ignorância vulcânica: uma doença milenar que afeta aqueles que não dão a mínima para a reveladora fumaça que se desprende do alto de uma montanha próxima.

O que nos leva à cidade de Saint Pierre, na Martinica, onde esse mal impera. Porque o monte Pelée, situado nas suas proximidades, começou a roncar e a expelir fumaça. Ainda assim, o governador local, Louis Mouttet, em uma campanha de reeleição fortemente contestada (e com medo de que seu eleitorado temente a vulcões possa dar no pé), emite uma ordem cívica ligeiramente interesseira: "Ignorem o vulcão, fiquem na cidade e votem em mim."

de mal A PIOR:

Para afastar o medo, lança um comunicado afirmando que Saint Pierre é totalmente segura.

Mas, assim que o comunicado é publicado, a cidade é invadida por hordas de insetos e cobras venenosas, todos fugindo da montanha devido aos tremores e emissões de gás sulfuroso. Nada menos do que 50 pessoas morrem só de picadas de cobras e formigas-de-fogo.

deu no que DEU:

Enquanto os sinistros roncos do monte Pelée se intensificam, os habitantes de Saint Pierre finalmente votam por bater em retirada. Temendo um êxodo em massa às vésperas da eleição, Mouttet ordena a tropas que bloqueiem as estradas, decretando que a cidade é o lugar mais seguro nas cercanias em caso de erupção.

No dia seguinte, o monte Pelée explode em uma bola de fogo. Em minutos, quase todos os 28 mil habitantes, inclusive o próprio Mouttet, morrem instantaneamente.

reflexões POSTERIORES:

A "importantíssima" eleição jamais chega a ocorrer. Uma segunda erupção, em 20 de maio, devasta o que restou da cidade.

Pagou a F*** COM CHEQUE e SE F****

a MÁ IDEIA: Pagar uma prostituta com cheque.

o gênio por TRÁS DELA: Jerry Springer, então prefeito de Cincinnati e futuro apresentador de um programa de baixarias

a sacada ACONTECEU: 1974

resumo da ÓPERA: Mais depressa do que uma mãe solteira (e barraqueira) pode dar um soco na cara do vagabundo que é o pai do seu filho após o teste de DNA, a promissora carreira política de Jerry Springer é nocauteada.

Formado em Direito pela Universidade Northwestern, ex-assistente do falecido Senador Robert F. Kennedy e político em ascensão, Springer acaba de ser eleito para a prefeitura de Cincinnati na flor de seus 27 anos, quando uma batida em um salão de massagens no Kentucky ameaça destruir sua carreira.

de mal A PIOR: Na batida, a polícia encontra um cheque de Springer ao estabelecimento (uma manjada fachada para prostituição) como pagamento por "serviços indefinidos". Confrontado com a prova do crime, Springer se demite do cargo. O veterano jornalista de Cincinnati Al Schottelkotte avalia que as chances do assanhado prefeito na política são escassas, na melhor das hipóteses.

deu no que DEU: Mas vai com calma, Capitão Furo. O corajoso Springer convoca uma coletiva de imprensa, admitindo plenamente a transgressão. Essa "baixada de crista" lhe permite reconquistar o cargo na prefeitura em uma vitória fácil no ano seguinte.

Em 1977, Springer é eleito prefeito de Cincinnati – pelo mesmo conselho da cidade que recomendou sua demissão três anos antes. Após uma tentativa frustrada de se eleger para o governo de Ohio, o britânico de nascimento vai parar na tevê local como colunista político/social – terminando por ocupar o posto de âncora de noticiário (emprego em que é, sem dúvida, pago com... contracheque).

reflexões POSTERIORES: Em 1991, seus pertinentes e floreados comentários dão lugar ao extravagante carnaval de desajustados e aberrações agora já familiar a todos que assistem (embora o neguem em público) ao famoso *The Jerry Springer Show*.

A VERDADE SEM MAQUIAGEM:
ESSA É MINHA CARA MESMO

a MÁ IDEIA: Participar de um debate presidencial na tevê sem usar maquiagem.

o gênio por TRÁS DELA: O Vice-presidente Richard M. Nixon

a sacada ACONTECEU: 26 de setembro de 1960

resumo da ÓPERA:

Faltando poucas semanas para as eleições presidenciais nos EUA, o Vice-presidente Nixon e o Senador John F. Kennedy estão correndo nariz a nariz – ou deveríamos dizer cara a cara?

Hoje à noite, a bela e a fera aparecerão no primeiro debate presidencial da História a ser televisionado. E um dos candidatos, que desconhece o poder visual do novo veículo, por ser ainda relativamente novo, está prestes a tomar uma decisão de uma estupidez fatal.

de mal A PIOR:

Tendo recebido alta há pouco tempo, após passar duas semanas hospitalizado para se recuperar de uma lesão no joelho, Nixon, na hora do debate, aparece pálido, magro e abatido. Exibindo uma camisa mal-ajustada, ele se recusa a ser maquiado, apesar dos olhos fundos, da testa suada e da escura barba por fazer.

Enquanto isso, o futuro rei de Camelot, recém-chegado de uma campanha na ensolarada Califórnia, está esbanjando saúde: bronzeado, descansado e vigoroso. Kennedy irradia uma aura juvenil e uma simpatia natural que parecem feitas sob medida para a telinha. Nixon, como os críticos comentarão mais tarde, tem um bom rosto para o rádio.

deu no que DEU:

E é exatamente assim que os debates se desenrolam na cabeça do público votante americano. Apesar do aparente empate técnico, os ouvintes de rádio coroam Nixon como o vencedor do debate. Num contraste gritante, os 70 milhões que assistem ao debate na tevê proclamam Kennedy como vencedor – e por uma ampla margem.

reflexões POSTERIORES:

Naquele mês de novembro, John Kennedy vence a eleição por um nariz (meros 112 mil dos 68 milhões de votos). E mais de 50% do total de eleitores afirmam que os quatro debates entre Nixon e Kennedy influenciaram seu voto.

Mais de O Melhor do Pior: Dez Péssimas Ideias na História do Cinema

Má Ideia 1: *Glen ou Glenda?*
Ano: 1953
Autor: O roteirista-diretor-ator Ed Wood
Sinopse: Peitando (por assim dizer) a revolucionária transformação sexual de George Jorgensen em Christine Jorgensen, o diretor estreante Wood se rende ao seu travesti interior, enverga um suéter feminino de cashmere e pinta o sete nessa pseudocientífica exploração da redefinição de gênero. Narrado por um Béla Lugosi já idoso, o filme exibe uma inexplicável manada de bisões, fantasias sadomasoquistas e a até então infundada teoria de que chapéus causam calvície.
Resenha: O crítico de cinema Leonard Maltin considera *Glen ou Glenda?* "possivelmente o pior filme de todos os tempos.

Má Ideia 2: *Plano 9 do Espaço Sideral.*
Ano: 1959
Autor: O diretor Ed Wood (sim, ele de novo)
Sinopse: Nessa pérola *cinemática*, os humanos estão empenhados em criar uma arma apocalíptica que é capaz de destruir o universo. Por esse motivo, alienígenas sensatos vêm à Terra com o "Plano 9" para impedi-los. Gastando alguns trocados com efeitos especiais, Wood utiliza formas de pudim suspensas por fios claramente visíveis como discos voadores. E recorre a diálogos afiadíssimos, como: "Acontecimentos futuros como esses afetarão vocês no futuro." De quebra, inclui cenas com Béla Lugosi, o astro de *Drácula* (feitas para outro filme sem a menor relação com esse) e cria um festival de gargalhadas com seu humor verdadeiramente absurdo, incompreensível e involuntário.
Resenha: Agraciado pelo crítico Michael Medved com um Peru de Ouro pelo pior filme já feito, o texto do DVD chega mesmo a afirmar: "Quase estrelando Béla Lugosi."

Má Ideia 3: *A Besta de Yucca Flats.*
Ano: 1961
Autor: O roteirista-diretor Coleman Francis
Sinopse: Imagine o horror de um manso cientista acidentalmente exposto à radiação atômica ao ver que se transformou em um hediondo monstro assassino. Agora imagine o horror de assistir a uma bomba feita em cima desse enredo e filmada totalmente sem som (com os atores sempre desviando o rosto da câmera, para que seus diálogos pudessem ser gravados em estúdio por dubladores, dispensando a necessidade de sincronizar a voz com os movimentos labiais). De quebra, uma cena de topless gratuita sem a menor relação com o enredo (incluída porque, aparentemente, o diretor gosta de cenas de nudez) – além de personagens com ferimentos à bala que cicatrizam num passe de mágica. E só você que assistiu, sua besta, viveu o verdadeiro horror.

Resenha: *Leonard Maltin's TV and Movie Guide* o chama de "um dos piores filmes jamais feitos". Outro crítico o considera possivelmente "o pior filme de ficção científica não pornô jamais feito". Ele também aparece na lista de piores filmes do IMDb.

Má Ideia 4: *Eegah*.
Ano: 1962
Autor: O produtor-diretor-roteirista Nicholas Merriweather
Sinopse: Focalizando – como sua sinopse de uma só página explica – "o alucinado amor entre um gigante pré-histórico por uma adolescente deslumbrante", o filme mostra Jaws (Richard Kiel), futuro antagonista de James Bond, no papel do troglodita epônimo. Uma estranha combinação de filme de surfista da década de 60 e filme B de monstros da década de 50, *Eegah* traz o filho do produtor do filme, Arch Hall Jr., cantando *à la* Elvis Presley, enquanto a besta alta e peluda transa com sua namorada. Mais adiante, o gigantesco troglodita come creme de barbear. Diversão apetitosa para toda a família.
Resenha: Orçado em 15 mil dólares, *Eegah* faz uma bilheteria de aproximadamente 3.200 dólares. E também garante vaga no livro *The Fifty Worst Films of All Time*, de Medved.

Má Ideia 5: *The Creeping Terror*.
Ano: 1964
Autor: O produtor-diretor-ator Vic Savage
Sinopse: Vestindo o que parece ser um tapete de lã e usando tênis, imensos alienígenas semelhantes a vermes deslizam pela fictícia comunidade rural de Angel County, na Califórnia, procurando – e engolindo – uma variedade de presas humanas. Como se movem muito devagar e não têm braços, as criaturas exigem total colaboração das vítimas, que, pela lógica, poderiam simplesmente fugir, em vez de se permitirem ser devoradas. *The Creeping Terror* é memorável por seu uso de (d)efeitos especiais baratos, como a bizarra cena de

um lançamento de foguete exibida de trás pra frente para mostrar a aterrissagem de uma aeronave alienígena.
Resenha: A série de tevê *Mystery Science Theater 3000* dá a *The Creeping Terror* fama de mau filme ao satirizá-lo em 1994.

Má Ideia 6: *Santa Claus Conquers the Martians.*
Ano: 1964
Autor: O diretor Nicholas Webster
Sinopse: Preocupados com o fato de seus filhos só verem Papai Noel nas transmissões de tevê interceptadas da Terra, os pais em Marte decidem sequestrá-lo e mantê-lo refém no planeta vermelho. Todos os tipos de intrigas interplanetárias culminam quando Dropo, o criado bobo mas adorável do rei marciano Kimar, aprende a se comportar como o bom velhinho e termina conquistando o direito de se tornar a sua versão marciana, o que permite que o autêntico retorne à Terra a tempo para o próximo Natal.
Resenha: Exibindo a atriz Pia Zadora aos oito anos de idade, *SCCM* é citado na lista dos dez piores filmes em *The Book of Lists* e no documentário em DVD de 2004 *The 50 Worst Movies Ever Made*.

Má Ideia 7: *Ishtar.*
Ano: 1987
Autor: A roteirista-diretora Elaine May
Sinopse: Concebido como uma releitura moderna dos clássicos da série *Road to...*, estrelados por Bob Hope e Bing Cosby, *Ishtar* gira em torno de um grupo de cantores-compositores trapalhões que fica no meio de um conflito entre a CIA e os guerrilheiros locais no Marrocos. Prejudicado por um roteiro pesado e confuso, brigas pessoais entre Warren Beatty e May, enormes custos adicionais, dezenas de resenhas negativas e uma estreia natimorta, *Ishtar* continua sendo uma das comédias mais caras já realizadas (55 milhões de dólares). Mas, por fim, rende apenas 14 milhões. E May jamais volta a dirigir um filme.

Resenha: Indicado nas categorias de Pior Filme e Pior Roteiro para o Troféu Framboesa de Ouro de 1987 – e vencendo na de Pior Diretor –, a palavra *Ishtar* se tornou sinônimo de "fracasso de bilheteria".

Má Ideia 8: *Pare, Senão Mamãe Atira!*
Ano: 1992
Autor: O diretor Roger Spottiswoode
Sinopse: A vida do tira durão Joe Bomoski (Sylvester Stallone) é virada de cabeça para baixo quando sua mãe idosa e doente (Estelle Getty) vem morar com ele – e termina se transformando em sua parceira armada na luta contra o crime. Fala sério!!!
Resenha: O crítico Roger Ebert dá a esse filme, com seu apropriado título de *Pare!*, meia estrela em sua resenha, chamando-o de "tão imbecil, tão totalmente destituído de uma gotícula de valor que o redima, que você fica olhando para a tela numa incredulidade aturdida". O próprio Stallone admite depois que é o pior filme de sua carreira.

Má Ideia 9: *Fora de Casa!*
Ano: 2001
Autor: O roteirista-diretor-ator Tom Green
Sinopse: Em sua busca desesperada por um contrato de produção na tevê, um cartunista boa-vida interpretado por Green começa a fazer as coisas menos engraçadas e mais asquerosas do mundo, como acusar o pai de molestar seu irmão caçula, girar um bebê pelo cordão umbilical e tocar piano com salsichas. Ele e a atriz-esposa Drew Barrymore se divorciam depois disso.
Resenha: Paul Clinton, da CNN, chama *Fora de Casa!* de "simplesmente o pior filme já lançado por um grande estúdio". Roger Ebert alega que o filme não apenas é apelativo em último grau, como também "nem mesmo merece ser mencionado na mesma frase que a palavra apelativo". *Fora de Casa!* também figura na lista dos "mais odiados" de todos os tempos de Ebert.

Má Ideia 10: *Instinto Selvagem 2.*
Ano: 2001
Autor: O diretor Michael Caton-Jones
Sinopse: Um acidente de carro causado por masturbação. Uma cena de estupro sexualmente explícita. E um terapeuta manipulado por sua paciente a cometer assassinato – essas são apenas algumas das alegrias dessa festa de altíssimo astral conhecida como *Instinto Selvagem 2*. Catherine Trammel (Sharon Stone) está de volta do sucesso obtido com sua tentadora cruzada de pernas em *Instinto Selvagem*. O problema é que ninguém está dando a mínima, graças ao enredo tolo, complicado e apelativo. A verdade nua e crua: *IS2* custou 70 milhões de dólares (dos quais Stone banca 10 milhões, segundo a imprensa), para faturar apenas 3,2 milhões no fim de semana de estreia.
Resenha: O Razzie Awards apelida o filme de "Basically, It Stinks Too" (algo como *Fedor Selvagem*, trocadilho com o título original, *Basic Instinct 2*). O *New York Post* escreve: "A essa altura, há brinquedos infláveis que são mais sexy do que Stone, mas como vamos saber a diferença?" No website do Rotten Tomatoes, a bomba é incluída entre os 100 filmes com as piores resenhas dos últimos 10 anos.

BOLA FORA: PONDO A *Inteligência* PRA ESCANTEIO

UMA DECISÃO DE BOSTON LEVA BAMBINO A *Rogar uma Praga*

a MÁ IDEIA: Vender Babe Ruth, um dos maiores jogadores de beisebol de todos os tempos, para o New York Yankees.

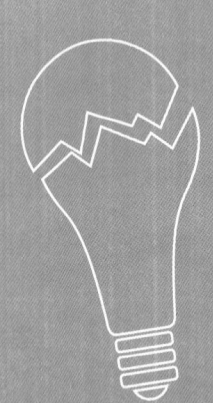

o gênio por TRÁS DELA: Harry Frazee, produtor da Broadway e dono do time de beisebol Boston Red Sox

a sacada ACONTECEU: 1920

resumo da ÓPERA: Tendo conquistado cinco títulos da World Series (três com Babe), Frazee acredita que seu time já é forte o bastante para não depender do seu astro arremessador e rebatedor, Babe Ruth (também conhecido como Bambino).

Raspando o fundo do tacho para financiar suas peças na Broadway, o dono do Sox decide vender o Bambino para os Yankees por 400 mil dólares (100 mil à vista).

de mal A PIOR: Frazee deve ter ficado de bola murcha quando viu Ruth, sozinho, bater um recorde atrás do outro, fazendo o jogo evoluir para um novo patamar, além de se tornar o líder absoluto de home runs, o mais popular atleta de seu tempo e membro do Hall da Fama do beisebol, ao liderar os Yankees, até então saco de pancadas, na conquista de 11 campeonatos em 15 anos.

deu no que DEU: O Red Sox, por sua vez, sofre oito décadas de fracassos – todos atribuídos à "Maldição do Bambino" –, sem conseguir vencer um título sequer da World Series entre a saída de Ruth em 1920 e 2004.

reflexões POSTERIORES: Na sua lista de "Maiores Atletas Norte-Americanos do Século Vinte", a ESPN concede a Ruth o segundo lugar, perdendo apenas para Michael Jordan. Graças ao poder de sua praga, o único jogador do Red Sox na lista, Ted Williams, também homenageado pelo Hall da Fama, jamais conquistou um título na World Series.

PRIMEIRA *Descida...* PARA O *Fracasso*

a MÁ IDEIA: Misturar elementos do futebol americano e da luta-livre em uma nova categoria esportiva chamada XFL.

os gênios por TRÁS DELA: Vince McMahon – o músculo por trás do WWE – e a emissora de tevê NBC

a sacada ACONTECEU: 2001

resumo da ÓPERA:

Anunciado como uma raçuda e eletrizante alternativa fora da temporada para a venerável NFL (Liga de Futebol Americano), os jogos da XFL oferecem rock'n'roll a todo volume, adversários lutando no meio do campo pela posse de bola, técnicos berrando palavrões, zero penalidade para as jogadas mais brutas e, claro, belas e sexy cheerleaders em roupas pra lá de ousadas.

O interesse dos fãs e da mídia cresce, para logo em seguida despencar, todos reprovando o machismo, o sensacionalismo e a encenação artificial, no estilo da luta livre profissional (WWE).

de mal A PIOR:

Na primeira semana, os jogos da XFL conseguem respeitáveis índices de audiência na tevê. Mas, quando a temporada termina, uma partida entre o Chicago Enforcers e o novo New York/New Jersey Hitmen se torna, na ocasião, o programa no horário nobre mais criticado na história da tevê.

deu no que DEU:

Na ponta do lápis, a XFL perde 70 milhões de dólares – e sofre uma morte súbita após uma única temporada de 10 partidas.

reflexões POSTERIORES:

Apesar do fracasso infame da liga, as câmeras no alto, as entrevistas durante o jogo e os microfones em capacetes são legados da XFL ainda em uso hoje. E as chefes de torcida usando lingerie? Elas prepararam o terreno para o Lingerie Bowl, criado em 2004, onde mulheres em trajes exíguos jogam tackle football de 7 num especial da tevê (pay-per-view) exibido durante o intervalo do Super Bowl.

ENTROU COM *Tudo* E SAIU *Mordido*

a MÁ IDEIA: Arrancar com uma mordida um pedaço da orelha do seu oponente durante uma disputa pelo título de campeão mundial dos pesos-pesados.

o gênio por TRÁS DELA: Mike Tyson

a sacada ACONTECEU: 28 de junho de 1997

resumo da ÓPERA: Ódio no coração? Fome de glória? Seja lá o que for que está motivando o ex-campeão de boxe Mike Tyson esta noite, ele está tão louco para recuperar a coroa dos pesos-pesados que já quase sente o gostinho. Literalmente.

Na esteira de sua chocante derrota para Evander Holyfield – um azarão pagando 25 para 1 – apenas oito meses antes, Tyson está desesperado para reconquistar o título. Irritado com as contínuas e intencionais cabeçadas de Holyfield, Tyson parte para o clinch com o britânico no centro do ringue – e em seguida arranca um pedaço da sua orelha, cuspindo-o com raiva num canto da lona. Em meio ao caos que se segue, Tyson é desclassificado, mais uma vez perdendo para Holyfield.

de mal A PIOR: Escandalizada, a Comissão Atlética do Estado de Nevada revoga a licença de boxeador de Tyson e o multa em 3 milhões de dólares.

deu no que DEU: Sem os altos salários do boxe a que se acostumou, Tyson começa a sentir a mordida dos seus gastos astronômicos. Listando dívidas de mais de 27 milhões – inclusive uma de 4,5 milhões por carros, outra de 140 mil por dois tigres-de-bengala e uma banheira de 2 milhões –, as finanças de Tyson beijam a lona no tribunal de falências.

reflexões POSTERIORES: Depois da luta, os fãs do boxe se perguntam o que poderia ter levado Tyson a exibir um comportamento tão bizarro (até para os seus próprios parâmetros) no ringue. Mas o ex-treinador de Tyson, Teddy Atlas, havia predito que Iron Mike, temendo não conseguir derrotar Holyfield, faria alguma coisa – "Ele vai morder Holyfield. Vai dar uma cabeçada nele. Vai aplicar golpes baixos" – para se desclassificar. E os fãs do boxe ficaram... de orelha em pé.

RACISTAS
Go Home...
E CORRENDO!

a MÁ IDEIA: Recusar-se a permitir que o maior rebatedor de home runs de todos os tempos jogue nas grandes ligas.

os gênios por TRÁS DELA: Donos de times de beisebol racistas

a sacada ACONTECEU: de 1930 a 1946

resumo da ÓPERA:

Em qualquer discussão de bar, você vai ouvir o debate que rola há gerações: Quem foi o maior rebatedor de home runs de todos os tempos?

Alguns insistem que foi o legendário Babe Ruth. Outros dizem que foi Hammerin' Hank Aaron. Ou um cara de pavio curto chamado Barry Bonds. Mas os verdadeiros fãs do beisebol sabem que o mais prolífico batedor de home runs de todos os tempos foi um homem que nunca jogou nas grandes ligas – banido pelos cartolas racistas por causa da cor de sua pele.

de mal A PIOR:

Superando a morte trágica da esposa, que faleceu ao dar à luz em sua temporada de estreia, Josh Gibson, o talentoso rebatedor dos Homestead Grays das chamadas Ligas Negras, atrai a invejosa atenção dos craques caucasianos do beisebol de todo o país.

Batendo um home run atrás do outro, Gibson vê sua fama e estatura crescerem. Mas, graças a um "acordo de cavalheiros" entre os donos dos times de beisebol – e apesar de fazer estimados 800 HRs com a incrível média de 359 rebatidas durante dezessete temporadas –, o afro-americano Gibson jamais chega a jogar nas grandes ligas.

deu no que DEU:

Diagnosticado com um tumor cerebral em 1943, Josh Gibson morre tempos depois devido a um AVC, na flor dos seus 35 anos. Apenas três meses depois, os cartolas recapitulam e permitem que Jackie Robinson se torne o primeiro jogador negro da história das grandes ligas.

reflexões POSTERIORES:

Os grandes finalmente fazem justiça a Gibson em 1972, tornando-o o segundo jogador da Liga Negra, depois de Satchel Paige, a ser eleito para o Hall da Fama do beisebol.

CICLISTA DOPADO
DERRAPA EM POÇA DE
Mentiras

a MÁ IDEIA: Usar doping para vencer a maior prova de ciclismo do mundo, depois negar, e por fim confessar e acusar outros ciclistas de fazerem o mesmo.

o gênio por TRÁS DELA: O inescrupuloso ciclista americano Floyd Landis

a sacada ACONTECEU: 2006

resumo da ÓPERA: Contra a vontade do pai, um devoto menonita, o jovem Floyd Landis sai furtivamente de casa todos os dias às duas da madrugada para praticar seu adorado ciclismo nas montanhas geladas de Farmersville, na Pensilvânia.

A obstinada determinação de Floyd o leva a participar do campeonato nacional júnior dos EUA em 1993, a obter uma vaga no time de ciclismo do Serviço Postal dos EUA em 2002 e – apesar de uma dolorosa doença degenerativa no quadril – a conseguir uma inesperada vitória no conceituado Tour de France, quatro anos depois. Mas, imediatamente, uma controvérsia fura seus pneus.

de mal A PIOR:

Após a corrida, o exame antidoping revela que a urina de Landis contém um teor anormal de testosterona. Em consequência, ele perde a valiosa vitória do Tour de France e é banido do esporte.

Ultrajado, Landis nega com veemência que tenha usado qualquer anabolizante. Seus advogados atacam os procedimentos e a análise do laboratório onde o exame foi realizado. Desesperado por dinheiro, Landis também pede aos amigos, parentes e fãs que doem fundos para sua defesa jurídica. Estima-se que 1 milhão tenha sido coletado.

deu no que DEU:

Após uma tumultuosa batalha de quatro anos para limpar o nome e reconquistar a camiseta amarela do Tour de France, Landis, quando menos se espera, choca o mundo ao confirmar a acusação de doping e, de quebra, acusa Lance Armstrong, sete vezes vencedor do Tour, e outros ciclistas famosos de fazerem o mesmo.

Armstrong inicialmente nega as acusações de Landis, chamando-o de "despeitado" por perder a vaga na equipe liderada por Armstrong em 2010. No entanto, em uma reviravolta irônica, Armstrong perde seus sete títulos do Tour de France sob uma torrente de acusações de doping feitas por companheiros de equipe em 2012 – e mais tarde admite o doping durante toda sua carreira em uma entrevista a Oprah Winfrey.

reflexões POSTERIORES:

Também em 2012, um juiz concorda em abandonar as acusações de doping contra Landis, agora fora do ciclismo competitivo, caso ele concorde em devolver os mais de 475 mil dólares doados por fãs e amigos em sua defesa.

O PIOR AMIGO DO HOMEM.
QUER DIZER, *do Cão*

a MÁ IDEIA: Pôr em risco a fama e a fortuna conquistadas com o futebol americano para fundar um ringue de briga de cachorro.

o gênio por TRÁS DELA: Michael Vick

a sacada ACONTECEU: 2007

resumo da ÓPERA: Isso é que é saber jogar: você é o número um na lista do draft da NFL (Liga de Futebol Americano) de 2001. Em 2006, você fatura nada menos do que 26 milhões de dólares. Você também foi convocado três vezes para o Pro Bowl. E os dólares dos patrocinadores rolam em sua direção como um tsunami verde.

Se você fosse um craque, um gênio da ovalzinha, vivendo a vida dos seus sonhos, seria capaz de jogar as mãos para o céu. Mas, se você fosse Michael Vick, jogaria as patas.

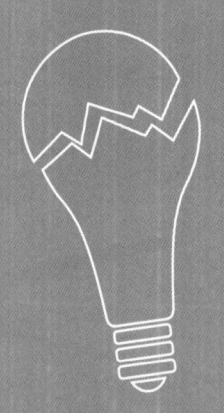

de mal A PIOR:

Com base no testemunho de um júri que alega que Vick está financiando e abrigando um ringue de briga de cachorro com altas apostas na Virgínia, seu estado natal, em julho de 2007 as autoridades indiciam a estrela da NFL pelos delitos de violência contra animais e prática de jogos de azar.

A promotoria cita os contundentes depoimentos dados pelas testemunhas sob juramento, segundo os quais Vick chegou a apostar 40 mil dólares em uma única noite – e que ele próprio executou cães que não apresentavam bom desempenho por afogamento, eletrocussão e "batendo (com os animas) contra um muro".

deu no que DEU:

Após inicialmente negar as acusações, Vick se declara culpado e é condenado a cumprir uma pena de 23 meses em Leavenworth. As empresas que o patrocinam só faltam rosnar – e as finanças de Vick vão para o fundo do poço. Três de suas seis casas são vendidas. Seu entourage de 300 mil dólares mensais põe o rabo entre as pernas e sai à procura de outro osso menos duro de roer. Os credores – de bancos a sócios enfurecidos e ex-agentes – o processam por milhões em danos morais e materiais.

Quebrado, Vick – agora ganhando 1 dólar por dia na prisão – declara falência. Os quase cinquenta cachorros encontrados em sua casa na Virgínia são enviados para abrigos e lares adotivos.

reflexões POSTERIORES:

Ao sair da prisão em 2009, Vick assina contrato com o Philadelphia Eagles. Em 2010, ele é nomeado o Jogador Retornando do Ano da NFL e ganha sua quarta convocação para o Pro Bowl. No ano seguinte, assina um contrato de seis anos com o Eagles, de 100 milhões. Em 2012 e 2013, lesões associadas a mau desempenho o obrigam a ficar no banco dos reservas.

DISCO INFERNO CHAMUSCA O *White Sox*

a MÁ IDEIA: "A Noite da Demolição Disco."

os gênios por TRÁS DELA: O DJ de Chicago Steve Dahl e o executivo do White Sox Mike Veeck

a sacada ACONTECEU: 12 de julho de 1979

resumo da ÓPERA:

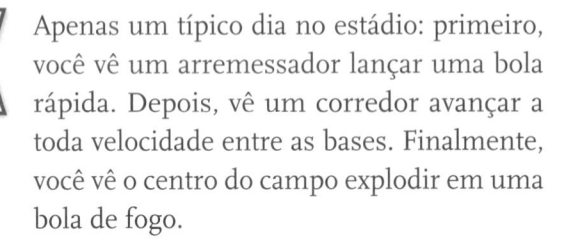

Apenas um típico dia no estádio: primeiro, você vê um arremessador lançar uma bola rápida. Depois, vê um corredor avançar a toda velocidade entre as bases. Finalmente, você vê o centro do campo explodir em uma bola de fogo.

Tudo bem, talvez não seja exatamente uma partida de beisebol das mais tradicionais. Mas essa é exatamente a ideia revolucionária por trás da Noite da Demolição Disco. Sacada do rebelde DJ de Chicago Steve Dahl, a NDD promete entradas para duas partidas consecutivas do White Sox por apenas 98 centavos mais um disco velho.

de mal A PIOR:

Entre as duas partidas, Dahl recolhe os discos descartados, faz uma pilha no outfield e então usa explosivos para detonar as bolachas de vinil em mil pedaços.

Com a detonação, uma cratera se abre. Fragmentos de vinil voam como lâminas pelo ar. Um incêndio começa. Excitada pelas quantidades explosivas de goró e maconha, a galera delirante invade o campo. Milhares de espectadores esperando fora do estádio pulam as catracas para se juntar à multidão.

Logo, está rolando uma rebelião em grande escala: os fãs destroem a gaiola, arrancam grama do campo e queimam bandeiras, até que a polícia aparece para pôr ordem na casa. Seis pessoas acabam feridas. Quase 40 são presas.

deu no que DEU:

Preocupado com a segurança do seu time, o empresário do Detroit Tiger, Sparky Anderson, não permite que os jogadores entrem em campo para a segunda partida da noite. E, com o campo inadequado para a disputa, o White Sox é forçado a abandoná-la, sendo essa a última vez na história do beisebol em que um time da Liga Americana sofre uma derrota automática.

reflexões POSTERIORES:

Em uma entrevista posterior, Dahl não demonstra qualquer arrependimento, gabando-se de que o evento apressou a morte do LP. Mike Veeck abandona o beisebol e só reaparece em 1993, como sócio de um time de uma liga menor em St. Paul, Minnesota.

ELE VAI TE DEIXAR NO *Bagaço*

a MÁ IDEIA: Namorar ou se casar com O. J. Simpson, astro do futebol americano.

os gênios por TRÁS DELA: Marguerite Simpson e Nicole Simpson, entre outras

a sacada ACONTECEU: de 1967 a 2008

resumo da ÓPERA:

Dada a combinação de boa aparência, carisma e talento atlético de O. J. Simpson, não é de admirar que as mulheres percam a cabeça (às vezes literalmente) quando o irresistível running back está por perto. Porém, esse que é um dos maiores corredores da NFL de todos os tempos é também um baita de um canalha.

Tudo começa com Marguerite L. Whitley, de 18 anos, uma gata da Bay Area com quem O.J. se casa em 1967. Dias antes do nascimento de seu terceiro filho, Simpson conhece Nicole Brown, de 18 anos, e decide mandar o casamento pro espaço. Tempos depois, a ex-esposa, Marguerite, processa O. J. por não pagar pensão para ela e o filho.

de mal A PIOR:

Agora estamos em 1994. A segunda esposa, Nicole, quase é decapitada diante do seu condomínio em Brentwood. Um júri criminal declara que Simpson é inocente do assassinato, enquanto um júri civil o considera culpado, num julgamento de quase 35 milhões de dólares.

Mas O. J. continua aprontando. A ex-modelo Paula Barbieri namora Simpson após sua absolvição do assassinato, mas depois o deixa, por causa de suas "mentiras e traições".

deu no que DEU:

A mais recente "espremida" de The Juice (O Suco, apelido do astro), Christie Prody, só tem 19 anos de idade quando sucumbe aos encantos de O. J. Casanova. Em uma exclusiva para a *National Enquirer*, ela revela que Simpson lhe confessou ter matado Nicole – e que várias vezes ameaçou matá-la também.

reflexões POSTERIORES:

Simpson é condenado em 2008 por roubo, sequestro e posse de arma em acusações envolvendo uma disputa de itens esportivos de uma coleção. Ele agora cumpre pena em uma prisão em Nevada, onde é mais provável que sua próxima "namorada" venha a se chamar... Nícolas!

ESTRATÉGIAS de **GUERRA** que FORAM VERDADEIRAS BOMBAS

UMA GUERRA NO IRAQUE POR UM MOTIVO
de Araque

a MÁ IDEIA: Responder aos atentados terroristas do 11 de Setembro invadindo o Iraque.

os gênios por TRÁS DELA: O Secretário de Defesa Donald Rumsfeld, o Vice-presidente Dick Cheney e o *establishment* neoconservador

a sacada ACONTECEU: Março de 2003

resumo da ÓPERA: Onze de setembro de 2001. Esse é um dia destinado a perdurar em infâmia. Os Estados Unidos são atacados por 19 sequestradores de aviões patrocinados pelo grupo terrorista al-Qaeda, cuja base fica no Afeganistão. As torres gêmeas na cidade de Nova York desabam. Quase 3 mil pessoas morrem.

Prometendo fazer justiça e proteger a América, os cérebros da administração do recém-eleito Presidente George W. Bush arquitetam uma invasão militar do Afeganistão e do... *Iraque?*

de mal A PIOR: Conectando a al-Qaeda ao presidente iraquiano Saddam Hussein – e, portanto, implicando Hussein no ataque do 11 de Setembro e identificando suas "armas de destruição em massa" como uma ameaça direta à segurança dos EUA –, Bush dá início à Operação Liberdade do Iraque.

Sem o apoio da ONU, uma força de coalisão composta basicamente por 250 mil americanos e 45 mil britânicos ataca o Iraque. Em três semanas, o ditador, criminoso e assassino governo baathista de Saddam é derrubado. Pousando no porta-aviões *USS Abraham Lincoln*, o Presidente Bush fica diante de uma bandeira e declara: "Missão cumprida." Só que não.

deu no que DEU: Embora o planejamento para a guerra tenha sido meticuloso, não houve qualquer planejamento para suas consequências. Com as instituições do país colapsadas, segue-se uma onda de saques, incêndios e bombardeios. Por serem muito poucos para manter a paz, os membros das forças de coalisão passam a ser vistos pelos iraquianos como invasores e não "heróis conquistadores", como os conselheiros de Bush haviam previsto.

Incontáveis empreiteiros privados são levados para pôr ordem na casa. Mas a detenção indefinida dos cidadãos iraquianos sem acusações, a alegada tortura de prisioneiros em Abu Ghraib, o preço semanal de 1 bilhão de dólares da guerra e as milhares de baixas gradualmente fazem com que a opinião pública comece a condenar a intervenção americana – e contribuem para a eleição do candidato à Presidência que se opõe ao conflito, Barack Obama.

reflexões POSTERIORES: Ironicamente, até hoje os inspetores não encontraram quaisquer armas de destruição em massa no Iraque. A inteligência que forneceu a justificativa para a guerra foi seriamente desafiada. E a cumplicidade de Hussein no ataque terrorista aos Estados Unidos foi totalmente desacreditada.

UM ÚNICO *Torpedo* AFUNDA A IMAGEM DO TERCEIRO REICH

a MÁ IDEIA:

Atacar o navio dos correios britânicos, o *Lusitania*.

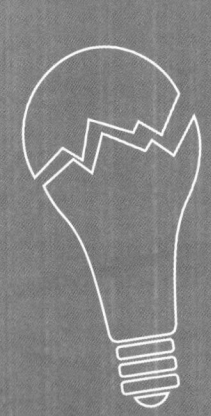

***o gênio por* TRÁS DELA:** Walther Schwieger, capitão de submarino

***a sacada* ACONTECEU:** 7 de maio de 1915

resumo da ÓPERA:

"Disparem os torpedos e afundem-no!", exclama o Capitão Schwieger ao ver o *Lusitania* passar pelas linhas cruzadas do periscópio de seu submarino. Os membros da tripulação ficam horrorizados. Sim, a Inglaterra e a Alemanha estão lutando ferozmente na Primeira Guerra Mundial. E sim, os submarinos alemães têm ordem de destruir cargas de suprimentos do inimigo no Atlântico Norte. Mas atacar impiedosamente um navio lotado de passageiros indefesos?

Uma explosão, e depois outra, abre um rombo enorme no casco do *Lusitania*, afundando o cruzeiro da Cunard em apenas 18 minutos. Mais de 1.200 civis morrem, incluindo centenas de americanos abastados e influentes que viajavam ao estrangeiro. Escandalizado, o mundo denuncia a Alemanha. O presidente dos EUA, Woodrow Wilson, reflete sobre qual será a resposta da América.

de mal A PIOR:

Oficiais alemães propositalmente alegam que o *Lusitania*, longe de ser inocente, era na verdade um navio de suprimentos militares carregando munição de guerra inteligentemente disfarçado. Oficiais britânicos debocham da declaração, classificando a embarcação como sendo "indefesa como uma balsa".

deu no que DEU:

"*Lembre-se do Lusitania*" se torna o grito de guerra enquanto os Estados Unidos, até então isolacionistas, mergulham de cabeça na Primeira Guerra Mundial, unindo-se aos ingleses, franceses, russos e demais forças aliadas para aumentar o equilíbrio do poder que termina por derrubar o esforço de guerra alemão.

reflexões POSTERIORES:

Em 2009, uma equipe de resgate usando robótica subaquática descobre uma enorme carga de munição ativa – do tipo usado pelo exército britânico na Primeira Guerra Mundial – em meio ao naufrágio de quase um século do *Lusitania*. A única coisa "indefesa" nesse navio, conforme se apurou, foram os homens, as mulheres e as crianças que morreram no dia em que ele afundou.

HAJA GARBO PARA ENGANAR
o *Führer!*

a MÁ IDEIA:

Preparar-se para a maior invasão Aliada da Segunda Guerra Mundial posicionando suas tropas no lugar errado.

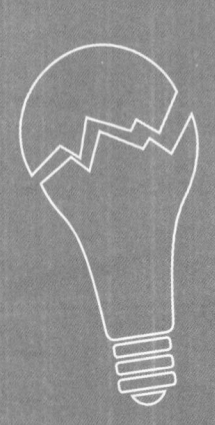

o gênio por TRÁS DELA: Adolf Hitler

a sacada ACONTECEU: 6 de junho de 1944

resumo da ÓPERA:

A inteligência militar alemã fica sabendo que uma invasão Aliada na Europa é iminente. O que eles não sabem é onde e/ou quando os Aliados atacarão.

Por esse motivo, o líder nazista Adolf Hitler consulta o mais confiável conselheiro de sua inteligência, Juan Pujol García. Mas há um probleminha com o bom e velho Juan: sem que Hitler saiba, García é, na verdade, um agente duplo, trabalhando para os ingleses, com o codinome de "Garbo".

de mal A PIOR:

Num desempenho altamente convincente, Garbo afirma categoricamente para Hitler que o general americano George Patton invadirá as praias de Calais, na França.

Para validar a invenção de Garbo, os Aliados inventam uma falsa zona de ensaios na Inglaterra, onde não faltam nem mesmo aviões de papel machê. Hitler aceita os conselhos apócrifos de Garbo e instrui seus generais a defenderem as praias de Calais.

deu no que DEU:

Boa ideia? *Nein*. Em 6 de junho de 1944, o verdadeiro ataque às praias começa a quilômetros de distância, na Normandia. No entanto, Hitler confia tão piamente na palavra de Garbo que continua a instruir seus tanques Panzer de elite a defenderem a invasão que certamente acontecerá em Calais... mas que nunca chega a acontecer.

Em um ano, o sonho de Hitler de dominar o mundo se torna um pesadelo, graças em grande parte a um confidente falso com uma história falsa e um nome falso.

reflexões POSTERIORES:

Garbo, com sua identidade de agente duplo ainda secreta e seu prestígio entre os nazistas ainda forte, recebe a Cruz de Ferro da Alemanha. Simultaneamente, ele é feito cavaleiro, em segredo, pela rainha da Inglaterra – provavelmente a única pessoa na História a ser honrada como herói por duas forças opostas em uma guerra.

INVADIR A *Rússia* NO *Inverno* É UMA TREMENDA *Fria*

a MÁ IDEIA:

Ordenar uma invasão à Rússia no auge do inverno.

o gênio por TRÁS DELA: Adolf Hitler (sim, o mesmo megalomaníaco de bigodinho mencionado na página anterior)

a sacada ACONTECEU: 22 de junho de 1941

resumo da ÓPERA:

A invasão francesa da Rússia durante o inverno no século 19 nos deu *Guerra e paz*, de Tolstói, a *Abertura 1812*, de Tchaikovsky, e a pior fria em que Napoleão se meteu até então. Mas, evidentemente, o ditador nazista Adolf Hitler não lê romances, não ouve música clássica, nem estuda História. Porque ele está prestes a repetir a monumental mancada estratégica do miúdo general francês.

de mal A PIOR:

Encorajado pela conquista relâmpago da Polônia e da França, o Terceiro Reich de Hitler agora controla grande parte da Europa. A próxima peça do dominó que Mister Passo de Ganso gostaria de derrubar é a Rússia. E, com a Operação Barbarossa, ele ordena que seu exército se dirija ao leste, para a maior invasão militar da história da humanidade.

Arregimentando 4,5 milhões de tropas do Eixo, o exército de Hitler invade a Rússia em peso. Com a híbris que lhe é peculiar, o Führer ignora o iminente e traiçoeiro inverno russo. E desacata seus generais, insistindo que seu exército pode atravessar Moscou e causar um estrago considerável, atacando de casa em casa até Stalingrado.

deu no que DEU:

A luta se estende por mais de seis meses – e a neve de Stalingrado fica vermelha de sangue. Logo, a batalha se torna a mais trágica de todos os tempos. As perdas alemãs: 750 mil mortos, feridos ou desaparecidos – e 91 mil capturados. Mais de 900 aeronaves, 4 mil tanques e 15 mil peças de artilharia nazistas são perdidos.

reflexões POSTERIORES:

A Operação Barbarossa e a Batalha de Stalingrado humilham o sonho de Hitler de dominar o mundo, detonam o exército alemão e levam as forças de Stálin a buscar parceria com os Aliados, que em breve serão liderados pelos EUA. Como aconteceu com Bonaparte, o sonho de Hitler se derreteu como picolé no verão.

KEBRARU AKARA

a MÁ IDEIA: Diante de uma derrota inevitável: "Lutem até a morte!"

os gênios por TRÁS DELA: Líderes políticos e militares japoneses

a sacada ACONTECEU: 28 de julho de 1945

resumo da ÓPERA: Bombas incendiárias americanas abrem os portões do inferno sobre as cidades japonesas. Crescem as baixas entre civis. Residências são reduzidas a cinzas. Fábricas desmoronam em pilhas de escombros. A economia despenca e o moral, idem. O mundo está testemunhando o hediondo último ato da Segunda Guerra Mundial.

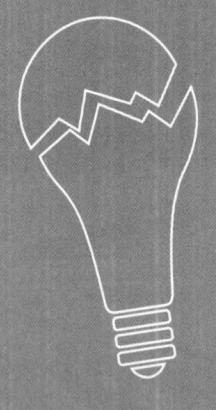

Mas os líderes japoneses veem as coisas de forma diferente. Erguendo-se da fumaça e das chamas de seu país derrotado, eles emitem uma audaciosa diretiva – uma diretiva para o povo japonês, já cansado de batalhas, que desafia o óbvio e nega o inevitável: "Continuem lutando! Lutem até a morte!"

de mal A PIOR: Com a rendição alemã já próxima, o presidente americano Truman e os líderes Aliados, em 26 de julho, lançam a Declaração de Potsdam, que define os termos da rendição japonesa. Ela ameaça "concluir a destruição das Forças Armadas e a total devastação da nação japonesa".

Dois dias depois, o Primeiro-ministro Kantaro Suzuki declara que seu governo pretende ignorar a declaração. Ao mesmo tempo, diante dos incessantes e mortais ataques aéreos dos Aliados, o Imperador Hirohito ordena ao povo que continue lutando – custe o que custar.

deu no que DEU: O resultado é um panorama de morte e destruição de proporções históricas: no dia 6 de agosto, uma bomba atômica dos Aliados arrasa a cidade de Hiroshima. Três dias depois, uma segunda explosão nuclear devasta Nagasaki. Mais de 200 mil pessoas morrem. Menos de uma semana depois, o Japão se rende, finalmente terminando a Segunda Guerra Mundial.

reflexões POSTERIORES: A decisão do Japão de lutar até o fim fica evidente com o significativo aumento do número de missões kamikazes perto da conclusão do conflito. Quase 4 mil pilotos japoneses sacrificaram suas vidas jogando intencionalmente seus aviões em navios dos Aliados. Os historiadores, estudando o que inspirava jovens japoneses na flor da idade a agir desse modo, apontam para uma mistura única da antiga tradição guerreira do Japão, pressões sociais do momento, necessidade econômica e puro desespero.

O Coronel Rall
NÃO FOI UM BOM MENINO

a MÁ IDEIA:

Acreditar que seu inimigo nem sonharia em atacar você no Natal.

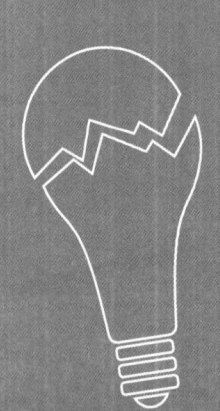

o gênio por TRÁS DELA: O coronel hessiano Johann Rall

a sacada ACONTECEU: Dia de Natal, em 1776

resumo da ÓPERA:

A Guerra Revolucionária faz um intervalo para as Festas. De um lado do rio Delaware, as tropas hessianas (lutando ao lado dos ingleses) abrem tonéis de rum e se divertem no espírito do "Ho-ho-ho!", comemorando a véspera de Natal. Do outro lado, George Washington e suas heterogêneas tropas coloniais esperam em silêncio no frio – loucos para mostrar ao inimigo quem merece receber presentes.

Curtindo a frivolidade da celebração, o Coronel Rall, comandante hessiano, fica absorto em um jogo de cartas com altas apostas, quando um mensageiro lhe entrega um bilhete. Rall reclama: "Agora não! Vou ler mais tarde. Não vê que estou ocupado?" Ele pega o bilhete, guarda-o descuidadamente no bolso e continua jogando.

de mal A PIOR:

Ao amanhecer, o General Washington e seus homens cruzam o Delaware, avançando em direção aos incautos mercenários em um violento ataque surpresa. Os Coloniais *acordam* os hessianos de ressaca em menos de uma hora. Mais de 9 mil homens são feitos prisioneiros. O próprio Coronel Rall é gravemente ferido.

deu no que DEU:

Com seu último grama de força, Rall finalmente lê o bilhete que havia ignorado com tanta leviandade. Escrito em um pedaço de papel ensanguentado, há um aviso sobre o iminente ataque surpresa de Washington. Profundamente arrependido, pouco tempo depois Rall cai morto.

reflexões POSTERIORES:

Por não dar ouvidos a quem devia, o Coronel Rall entrega de bandeja ao Exército Continental uma das mais importantes vitórias na guerra americana da independência. Se não fosse por sua negligência, os americanos estariam bebericando chá com leite e degustando bolinhos no McDonald's.

INCENDIÁRIAS
TÁTICAS BÉLICAS DE CÉSAR DEIXAM HISTORIADORES FUMEGANDO DE RAIVA

a MÁ IDEIA:

Incendiar por acidente a maior biblioteca do mundo enquanto ateia fogo à própria frota de navios.

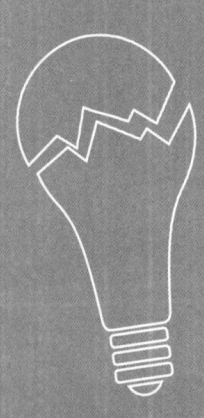

o gênio por TRÁS DELA: Júlio César

a sacada ACONTECEU: 48 a.C.

resumo da ÓPERA:

Ela é considerada o maior repositório do conhecimento humano no mundo. O sonho dos eruditos. Pessoas viajam durante meses, até mesmo anos, a pé e a cavalo, para contemplar com assombro seus quase 500 mil pergaminhos de papiro – uma síntese de toda a História, Ciência, Linguística, Matemática e Mitologia da Antiguidade.

Essa é a magnífica Biblioteca de Alexandria, no Egito. Mas nessa trágica noite de 48 a.C. a biblioteca sofre um destino infernal. Incendiada, ela e seus pergaminhos secos são rapidamente destruídos. Quase todos os escritos se perdem – acredita-se que inclusive livros originais da Bíblia, fábulas de Esopo e os primeiros escritos de Homero. E por trás de todo esse caos flamejante está o mais improvável dos réus. Embora se acredite que os intelectuais e oficiais do governo romanos cobicem a biblioteca e seus vastos volumes, o próprio Júlio César é acusado de causar o incêndio.

de mal A PIOR:

César – conhecido como dedicado estudioso que se tornou um impressionante advogado, orador e estrategista militar – acidentalmente ateia fogo à biblioteca enquanto incendeia seus próprios navios no porto de Alexandria, uma tática audaciosa (ou temerária) concebida para distrair os oponentes, egípcios, durante uma batalha contestando o reinado de Cleópatra.

deu no que DEU:

Por fim, os reforços romanos levam César à vitória. Mas ele é fustigado durante os 2 mil anos seguintes por destruir aquele que talvez tenha sido o maior compêndio de conhecimento que o mundo já havia visto – ou jamais verá.

reflexões POSTERIORES:

Imagine a sabedoria que as futuras gerações poderiam ter recebido se esses escritos de valor inestimável houvessem sido preservados.

O MELHOR GENERAL DA *América* LEVA UM TAPA NA CARA

a MÁ IDEIA: Ensinar um soldado a se dar ao respeito dando-lhe um tapa no rosto.

o gênio por TRÁS DELA: O general norte-americano George S. Patton

a sacada ACONTECEU: 3 de agosto de 1943

resumo da ÓPERA:

Reconhecido pelos nazistas como sendo o mais formidável comandante do exército americano, o General George Patton é um estrategista brilhante, conhecido por suas ardilosas manobras com tanques – até o dia em que uma manobra decididamente estúpida quase atropela e esmaga sua carreira.

Durante uma visita a feridos, Patton encontra o soldado Charles Kuhl sentado na beira de sua cama no hospital, descansando. Parecendo sadio, Kuhl confessa a Patton que não suporta mais a tensão extrema das fileiras do front. "São os meus nervos...", apela.

de mal A PIOR:

Fumegando de raiva, o irado general dá um tapa no rosto do jovem, chamando-o de covarde e ordenando-lhe que volte para a batalha.

deu no que DEU:

Dias depois, o Comandante Supremo dos Aliados, Dwight Eisenhower, estapeia o moral de Patton – observando que Kuhl estava com malária na ocasião do incidente do tapa –, e exige que o general peça desculpas aos seus homens por "agredir um doente".

Diante da revelação dos rompantes de Patton, a nação se enfurece. Com a crescente pressão da opinião pública, Eisenhower alivia Patton do comando do Sétimo Exército. E, em vez de liderar a invasão dos Aliados à Europa, como temem os líderes nazistas, ele acaba sendo usado meramente como chamariz.

reflexões POSTERIORES:

Humilhado, Patton retorna e leva o Terceiro Exército à vitória na Batalha das Ardenas, em 1944. Ironicamente, após ter sobrevivido aos rigores de incontáveis batalhas, ele é ferido num acidente de carro na Alemanha em dezembro de 1945 – e morre 12 dias depois.

Mais de O Melhor do Pior: Bolsadas na Moda

Escolha suas Piores Ideias Favoritas em Matéria de Lingerie, Sapatos, Roupas e Chapéus

A má ideia: Os conjuntos de calça e jaqueta esporte.
A sacada aconteceu: Década de 1970.
Viva a breguice! Até Travolta ficava horroroso com esse desastre de poliéster.

A má ideia: O espartilho.
A sacada aconteceu: Século 16.
Viva a breguice! Aperte a cintura e ature a tortura até ter uma tontura.

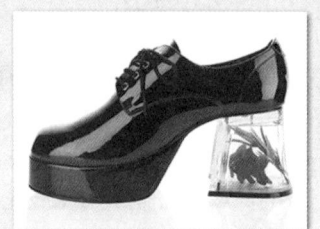

A má ideia: Os saltos plataforma.
A sacada aconteceu: Década de 1970.
Viva a breguice! Estilo em alta – e bom gosto em baixa. Na compra de um par, grátis um tornozelo torcido.

A má ideia: Os bonés de caminhoneiro.
A sacada aconteceu: Década de 1970, e depois teve um revival nos anos 2000.
Viva a breguice! O povo quer saber: quem é que fica bem com essa tampa de caneta na moleira?

A má ideia: Os tamancos de madeira.
A sacada aconteceu: Século 18.
Viva a breguice! Um material duro para se bater (nas) pernas (dos outros) por aí. O que falta inventarem agora? Mocassins em aço inox?

A má ideia: A peruca.
A sacada aconteceu: 3.100 a.C.
Viva a breguice! Esse carpete de orelha a orelha para o, digamos, deficiente capilar, geralmente não passa de uma mentira cabeluda.

A má ideia: As gravatas de clipe.
A sacada aconteceu: Década de 1960.
Viva a breguice! Por que esconder sua preguiça, quando você pode pendurá-la no pescoço para o mundo inteiro *admirar*?

Uma SAUDÁVEL DOSE de BURRICE

A PROFISSÃO MAIS DOIDA DO MUNDO É *de* TIRAR O *Chapéu*

a MÁ IDEIA:

Usar mercúrio, que é altamente tóxico, para confeccionar e limpar chapéus de feltro.

os gênios por TRÁS DELA: Os chapeleiros britânicos

a sacada ACONTECEU: Por volta de 1830

resumo da ÓPERA:

Na corrida para criar uma moda masculina arrojada, com uma bossa europeia, os chapeleiros do século 19 não estão usando a cabeça.

Selecionando o melhor pelo de camelo turco para produzir o feltro dos chapéus, eles descobrem que embeber as fibras em urina de camelo aumenta consideravelmente a qualidade e a eficiência na confecção do chapéu. Anos depois, a urina humana, por ser mais abundante e fácil de encontrar, é usada no seu lugar. (Repulsivo, mas eficiente.)

de mal A PIOR:

Curiosamente, com o tempo, os chapeleiros descobrem que a urina de humanos recebendo tratamento para sífilis ajuda a produzir o melhor feltro de todos, graças a um medicamento que contém mercúrio. Por volta de 1850, a urina humana é substituída pelo nitrato de mercúrio, uma solução química que vem a se tornar um ingrediente fundamental na fabricação e na conservação dos chapéus.

deu no que DEU:

Mas, assim como o mercúrio produz belos chapéus, ele faz coisas horríveis com o corpo e a mente humanos – provocando surtos psicóticos agressivos, irritabilidade, delírios, alucinações, tremores e impulsos suicidas. E também dá origem à expressão "louco como um chapeleiro", em referência ao comportamento bizarro e às anomalias físicas provocados pela prolongada exposição dos chapeleiros à potente neurotoxina.

reflexões POSTERIORES:

Em 1941, a Saúde Pública dos EUA passa a considerar o mercúrio como tóxico e proíbe seu uso na confecção de chapéus. Hoje, o termo "chapeleiro louco" é uma pitoresca referência à era de *Alice no País das Maravilhas*.

ACEITA um COPINHO DE *Gripe?*

a MÁ IDEIA:

Tentar conter a maior pandemia de gripe da História usando copinhos aquecidos.

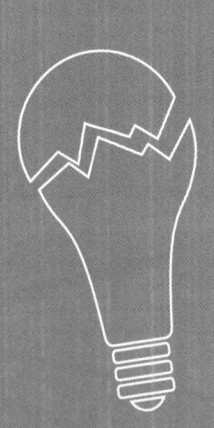

os gênios por TRÁS DELA: Curandeiros

a sacada ACONTECEU: 1918

resumo da ÓPERA:

Há menos de um século, muitos dos melhores praticantes da medicina no mundo inteiro afirmam que as doenças são causadas por desequilíbrios nos "humores" do corpo – que se supõe serem compostos por sangue, bile amarela, bile negra e fleuma.

Talvez o mais alarmante seja o fato de que, à falta de licença, quase todo mundo pode alegar ser "médico" – desde um curandeiro até Dona Joselita, sua vizinha sem noção.

Portanto, não é de estranhar que, diante da temida pandemia de gripe espanhola de 1918, o mundo esteja mal preparado para combater seus sintomas ou encontrar a cura.

de mal A PIOR:

Enquanto a gripe vai deixando uma trilha de tosses, espirros e chiados em seu caminho ao redor do globo, estima-se que 675 mil americanos contraem o vírus e morrem. O pânico se espalha. Os tratamentos médicos tradicionais, como repouso e isolamento, não estão conseguindo impedir o contágio crescente.

deu no que DEU:

É graças a essa lacuna desesperadora que surge a aplicação de ventosas, uma prática antiquíssima, que consiste em colocar pequenos copos aquecidos nas costas do paciente para "extrair a doença".

O que as ventosas fazem? Bem, elas deixam marcas redondas, queimaduras e/ou hematomas na pele. O que elas *não* fazem é curar a gripe. Em consequência desse e de outros tratamentos bem-intencionados, mas totalmente inadequados, entre 30 e 50 milhões de pessoas morrem no mundo inteiro antes que a gripe espanhola chegue ao fim em 1922.

reflexões POSTERIORES:

Hoje, sabemos que práticas simples, como lavar as mãos e cobrir a boca ao tossir e espirrar, podem inibir em grande medida a transmissão do vírus da gripe.

Um PRODUTO DENTÁRIO QUE PODE FAZER VOCÊ SORRIR *Amarelo*

a MÁ IDEIA: Inventar um xarope grosso, açucarado, contendo cocaína na fórmula, e anunciá-lo como um produto com propriedades medicinais.

A MÁ IDEIA 2: Vender os direitos desta que se tornará a mais lucrativa bebida de todos os tempos.

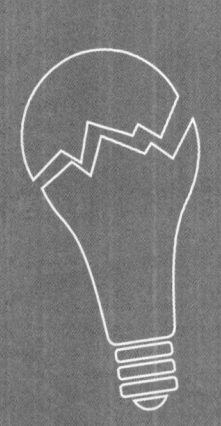

o gênio por TRÁS DELA:	John S. Pemberton

a sacada ACONTECEU:	1886

resumo da ÓPERA: Pemberton, um farmacêutico de Atlanta, mistura uma quantidade do xarope escuro, meloso e açucarado, especialmente formulado para tratar pacientes acometidos por tudo quanto é tipo de mal-estar, de enxaqueca e dor de estômago a dor de dente e impotência. Infelizmente, sua esdrúxula invencionice não faz o menor sucesso.

de mal A PIOR: Um belo dia, um fã de refrigerantes na Jacob's Pharmacy acrescenta por acaso água carbonada a um copo do espesso xarope de Pemberton. O gosto desse engano é tão bom que os fregueses começam a pedi-lo. A nova bebida borbulhante logo encontra fiéis seguidores.

deu no que DEU: Frustrado com o fracasso de seu xarope como panaceia universal – e desprezando suas possibilidades não medicinais –, Pemberton vende os direitos da receita do produto a outro farmacêutico local, Asa Griggs Candler, que explora seu potencial como "bebida festiva".

Resultado: Pemberton e os membros de sua família nunca recebem um centavo pelos megalucros daquele que se tornou o mais famoso refrigerante do planeta!

reflexões POSTERIORES: Hoje, a Coca-Cola é o produto mais vendido de todos os tempos, disponível em mais de duzentos países, com faturamento superior a 20 milhões de dólares por dia. Ela não produz nenhum benefício conhecido à saúde, pelo contrário. (E, nunca é demais observar, não contém mais cocaína.)

AZULÃO DEIXAVA LINCOLN *Doidão* (CALMA, *Não* É O QUE VOCÊ ESTÁ PENSANDO)

a MÁ IDEIA:
Usar um metal tóxico para curar a depressão.

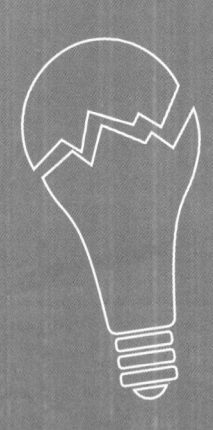

os gênios por TRÁS DELA: Os médicos do Presidente Abraham Lincoln

a sacada ACONTECEU: 1858

resumo da ÓPERA:

Com o desafio de um mandato presidencial à sua frente – e pelo menos dois colapsos nervosos atrás de si –, aquele que talvez seja o maior líder que a América já viu considera a possibilidade de se suicidar com frequência. Desesperado por alívio, o alto, desajeitado e inseguro Lincoln busca tratamento para o que hoje receberia o termo médico de "depressão clínica".

Mas, quase imediatamente após receber o dito tratamento, o comportamento tipicamente reservado de Lincoln dá lugar a "atípicas crises de raiva". Seus médicos ficam perplexos.

de mal A PIOR:

Um estudo de 2001 do Dr. Norbert Hirschhorn, historiador médico, pode ter a resposta. As oscilações de humor extremas de Lincoln, revela, são causadas por um comprimido comumente receitado para melancolia no século 19, conhecido como "pílula azul".

Médicos atuais acreditam que as altas doses de mercúrio contidas nos comprimidos atacam o fígado e o cérebro, causando depressão. O tratamento, no caso de Lincoln, foi totalmente contraproducente.

deu no que DEU:

Sua depressão piora. Durante o ano de 1859, Lincoln sofre crises de raiva violentas, perda de memória e tremores – outros sintomas de intoxicação por mercúrio. Ainda assim, apesar de seu intenso sofrimento pessoal, ele continua trabalhando, candidata-se à eleição presidencial no ano seguinte e vence.

reflexões POSTERIORES:

Felizmente, quando a nação às voltas com a Guerra Civil mais precisa de uma liderança estável, Lincoln, ansioso por experimentar qualquer coisa que alivie seu deteriorante estado mental, decide parar de tomar o "azulão". E, ao fazer isso, ele consegue bravamente manter a nação unida durante sua fase de maior desagregação.

A Cura HIPOCRÁTICA à la DRÁCULA

a MÁ IDEIA: Sangrias.

os gênios por TRÁS DELA: Antigos curandeiros mesopotâmios, egípcios, gregos, maias e astecas

a sacada ACONTECEU: a.B.S. (antes do Bom-Senso)

resumo da ÓPERA:

Estamos na era de Hipócrates. Você é um grego de meia-idade que está se sentindo indisposto. Felizmente, seu barbeiro (sim, o mesmo cara que corta seu cabelo) tem a cura: ele pendura você de cabeça para baixo, corta-lhe uma artéria e deixa o sangue escorrer.

Pronto! Está se sentindo melhor? Não? Bem, você não está sozinho. Desde os primórdios da civilização, o homem recorre à prática nada civilizada da sangria – sem qualquer prova científica de que ajude a restituir a saúde ao enfermo, e com provas de sobra de que ajuda a restituir o enfermo ao Criador.

de mal A PIOR:

Tudo começa com o "presentinho" mensal feminino conhecido como menstruação. Hipócrates – aquele que ficou famoso com a máxima "Primeiro, Não Fazer Mal" – teoriza que o sangramento menstrual purga a mulher dos seus maus "humores", o sangue corporal, a fleuma, a bile negra e a bile amarela que os médicos da época acreditam regular a saúde. Para poder equilibrar os humores do corpo, reza a teoria, o sangue em excesso deve ser purgado.

Enquanto a sangria é comumente recomendada pelos médicos durante os mais de vinte séculos seguintes, ela costuma ser realizada na barbearia do bairro – principalmente por homens sem qualquer treinamento (e sem qualquer higiene) que, com uma abundância de navalhas retas no estilo de Sweeney Todd, o Barbeiro Demoníaco, veem pouca diferença entre cortar os cabelos e cortar as veias do freguês.

deu no que DEU:

Felizmente, por volta de 1850, a *barbeiragem* da sangria é desacreditada por profissionais conceituados da área médica. Hoje, a prática foi quase totalmente abandonada, salvo no tratamento de um pequeno grupo de doenças do sangue, como a hemocromatose e a policitemia, e apenas sob a estrita supervisão de um flebotomista, para garantir sua eficácia.

reflexões POSTERIORES:

Reza a lenda que o tradicional poste com listras vermelhas e brancas das barbearias, ainda visto nos dias de hoje, é uma herança da era do cirurgião-barbeiro. Acredita-se que o vermelho represente o sangue sendo tirado (sangria), enquanto o branco significa o torniquete aplicado para estancar o sangramento do paciente, ou melhor, da vítima.

IGNORÂNCIA em PONTO DE BALA

a MÁ IDEIA:
Remover a bala do abdômen do Presidente James A. Garfield... com as mãos.

o gênio por TRÁS DELA: O dr. D. Willard Bliss

a sacada ACONTECEU: Verão de 1881

resumo da ÓPERA:

A História nos diz que o Presidente Garfield – que acreditava que, como os assassinatos não podem ser previstos, "é melhor não se preocupar com eles" – é morto por um tiro em uma estação ferroviária em Washington dado por um irado candidato a diplomata chamado Charles J. Guiteau.

A parte sobre a bala disparada por Guiteau em Garfield é inquestionavelmente verdadeira. Mas a parte sobre ele matar o presidente é uma *balela*.

de mal A PIOR:

Uma atarantada equipe médica liderada pelo dr. Willard Bliss atende o chefe de Estado ferido. Procurando freneticamente a bala do assassino em potencial, Willard abre às pressas uma passagem exploratória no abdômen de Garfield – mas não encontra nada.

Mais tarde, ele enfia um dedo não lavado na abertura, o que provoca uma séria infecção. Outro médico enfia a mão nas entranhas do presidente – e, sem querer, provoca uma lesão no seu fígado. Durante os dois meses seguintes, mais de uma dúzia de "especialistas médicos" fazem sua parte para transformar um buraquinho de bala num verdadeiro rombo de 60 centímetros de largura, fétido e purulento.

deu no que DEU:

Oitenta excruciantes dias após o tiro, o agonizante Garfield finalmente morre. Ironicamente, uma autópsia mostra que a elusiva bala está alojada em segurança, muito longe de órgãos vitais e vasos sanguíneos. O presidente, concluem os legistas, provavelmente teria sobrevivido se seus médicos tivessem seguido o juramento de Hipócrates: Primeiro, Não Fazer Mal.

reflexões POSTERIORES:

No julgamento, a defesa de Guiteau se baseia no fato de que ele, na verdade, não matou o presidente. Não importa. Ele é rapidamente condenado e enforcado por assassinato.

O AMÁLGAMA DENTAL QUE DEIXA QUALQUER UM DE BOCA *Aberta*

a MÁ IDEIA:

Obturar dentes com mercúrio.

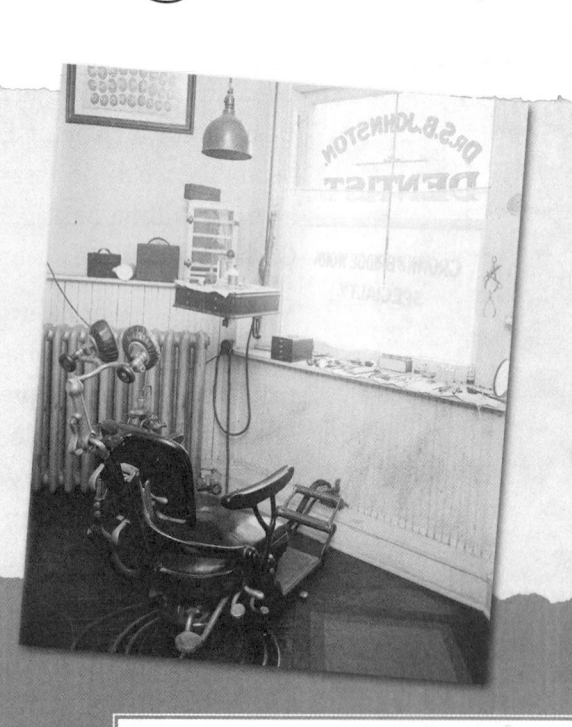

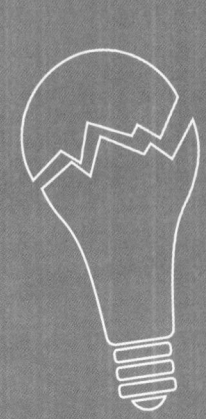

o gênio por TRÁS DELA: G.V. Black, dentista de Chicago

a sacada ACONTECEU: 1895

resumo da ÓPERA:

Conhecido por ser mais tóxico do que o arsênico, o mercúrio deveria ocupar um dos últimos lugares na lista de elementos químicos que você gostaria que entrassem na sua boca. Ainda assim, o mercúrio foi um verdadeiro pilar na odontologia durante mais de 100 anos.

de mal A PIOR:

Defendido pelo dr. Black como um amálgama maleável para obturar dentes cariados, as obturações de prata logo se tornam uma regra de ouro na dentística restauradora. Mas essas obturações contêm apenas 25% de prata. O resto? Praticamente só mercúrio.

Mesmo assim, o uso das obturações de prata e mercúrio é aprovado sem que sua segurança seja testada pelo FDA – e com o total apoio da poderosa Associação Dental Americana.

deu no que DEU:

Em 1990, uma reportagem-denúncia no programa de tevê *60 Minutes* mostra que o nível de vapor de mercúrio na boca de pelo menos um paciente com obturações dentárias tradicionais é três vezes mais alto do que o governo dos EUA permite no ambiente de trabalho.

Hoje, as faculdades de medicina procuram a relação entre o vapor de mercúrio oral e uma variedade de doenças, como Alzheimer, artrite, colite e outras. Mas o elemento permanece na boca de milhões de americanos até os nossos dias.

reflexões POSTERIORES:

Atualmente, o Canadá, a Suécia e a Inglaterra recomendam que obturações de mercúrio não sejam usadas em mulheres grávidas e crianças. Cientistas da Agência de Proteção Ambiental dos Estados Unidos descobrem, tempos depois, que uma em oito mulheres americanas em idade de ter filhos já tem tanto mercúrio no corpo que corre o risco de dar à luz um bebê com lesões cerebrais.

Eles ESTÃO NO NOTICIÁRIO (& FORA DA REALIDADE)

SUPERFIASCO, No BALÃO MÁGICO...

a MÁ IDEIA: Em uma tentativa cabeça-de-vento de ganhar fama, avise as autoridades que seu filho pequeno está flutuando sem nenhuma proteção a mais de 2 mil metros de altura em um balão caseiro.

o gênio por TRÁS DELA: O caçador de fama Richard Heene

a sacada ACONTECEU: 15 de outubro de 2009

resumo da ÓPERA: Os helicópteros da Guarda Nacional voam para a cena em uma alucinante perseguição aérea. A polícia de Fort Collins, no Colorado, os acompanha pela estrada a toda velocidade. O aeroporto de Denver é fechado às pressas. Enquanto isso, os olhos da nação estão fixos no estranho objeto em forma de disco voador que flutua à deriva no céu.

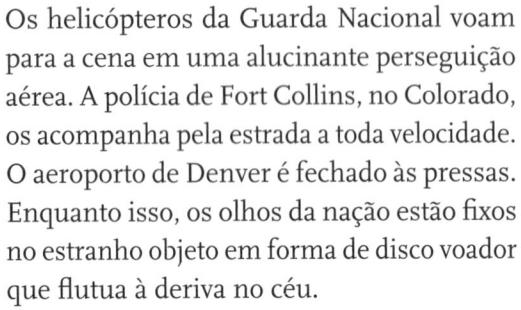

O "OVNI" a mais de 2 mil metros de altura é um balão de hélio confeccionado por ele próprio, confessa Richard Heene, transtornado, às autoridades. E, precariamente preso no seu interior, encontra-se seu indefeso filho de seis anos, Falcon.

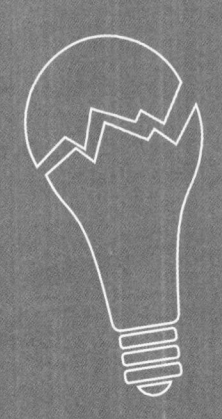

de mal A PIOR:

Tendo flutuado por mais de 80 quilômetros em duas horas, o gasoso artefato aterriza suavemente mas... o menino não está em parte alguma. Será que ele caiu durante o voo? Uma frenética equipe de buscas varre toda a área rural do Colorado à procura de pistas.

A solidariedade, contudo, logo se transforma em suspeita quando é revelado que Heene informou o ocorrido a uma estação de tevê em Denver antes de ligar para a Emergência. E a história do "Filho no Balão" se revela um ardil ainda maior quando ele anuncia, horas depois, que já encontrou Falcon: sem jamais ter chegado a ser aerotransportado, o menino estava escondido na garagem da família o tempo todo.

deu no que DEU:

Mas o verdadeiro momento "te peguei!" acontece quando, na mesma noite, a família Heene aparece no programa *Larry King Live*. Durante a entrevista, o apresentador pergunta a Falcon por que se escondeu na garagem. Virando-se para o pai, o menino diz: "Você disse que a gente fez isso tudo para o programa." A aventura, Heene logo admite, foi um bizarro golpe de publicidade elaborado com o objetivo de conseguir para ele um dos papéis principais em seu próprio programa de tevê.

Três dias depois, o dublê de ator – duas vezes frustrado no reality show *Wife Swap* e sem conseguir vender o roteiro original de seu programa, chamado *Science Detectives* – é preso sob várias acusações.

reflexões POSTERIORES:

Reconhecendo-se culpado, Heene é condenado a 90 dias de reclusão, além de prisão domiciliar, quatro anos de supervisão, 100 horas de serviços comunitários e uma multa de 36 mil dólares. Ele e a esposa também são proibidos de obterem qualquer lucro que se origine do fiasco do filho no balão.

CAPITALISMO BOÇAL *Envenena* BHOPAL

a MÁ IDEIA: Manter uma indústria química em uma área densamente povoada.

os gênios por TRÁS DELA: A Union Carbide Corporation e o governo da Índia

a sacada ACONTECEU: Fim da década de 1970

resumo da ÓPERA:

Muito antes de a Índia se tornar a fonte de mão de obra mais querida pelos capitalistas ocidentais, o governo indiano da década de 1970 massacra milhares de vacas sagradas (sem falar nos seus próprios cidadãos), em uma tentativa febril de atrair investimento estrangeiro.

Digamos que você gostaria de ignorar os riscos bastante óbvios de instalar um laboratório que produza o pesticida tóxico Sevin em uma cidade densamente povoada, como Bhopal. Pois pode ignorar à vontade, Professor Punjab! Na verdade, os mahatmas do governo da Índia vão até mesmo se tornar seus parceiros nesse empreendimento, como fazem com a norte-americana Union Carbide.

de mal A PIOR:

Mas a popularidade do Sevin despenca pouco depois. Por isso, a Union Carbide – com os fiscais do governo muito bem subornados fazendo vista grossa – passa a fabricar produtos químicos voláteis mais complexos na mesma indústria.

Na noite de 3 de dezembro de 1984, mais de 40 toneladas do gás isocianato de metila vazam para as ruas de Bhopal. Pelo menos 3.800 pessoas morrem instantaneamente. A empresa afirma que todos os procedimentos de segurança foram seguidos, preferindo atribuir a catástrofe a um ato de sabotagem cometido por um funcionário cujo nome não chega a ser revelado.

deu no que DEU:

Apesar de protestar inocência, a Union Carbide logo se vê às voltas com uma enxurrada de processos – mas obtém o direito de ter os casos julgados nos tribunais da Índia, e não dos EUA. Em um acordo com a Suprema Corte da Índia, a multinacional finalmente concorda em pagar uma indenização de 470 milhões de dólares às vítimas.

Embora seja a maior indenização desse gênero na história da Índia, 470 milhões é apenas uma fração do que as vítimas poderiam ter recebido em um tribunal americano. Não obstante, como afirma um estudo posterior, o preço financeiro e humano da catástrofe poderia ter sido muito menor se a fábrica se situasse em uma área restrita à manipulação de materiais perigosos – e se os fiscais do governo tivessem feito seu trabalho.

reflexões POSTERIORES:

Destacando-se como o pior acidente industrial de todos os tempos, o vazamento de gás tóxico em Bhopal, com o tempo, mata um número estimado de 15 mil pessoas. Em 2011, grupos de direitos de cinco vítimas pedem o pagamento de uma indenização adicional de 8,1 bilhões. A Dow Chemical, agora proprietária da Union Carbide, rejeita o pedido, afirmando que o caso já foi resolvido.

ONDE COMEM SEIS...
Comem catorze

a MÁ IDEIA: Decidir, sendo mãe solteira de seis filhos e estando desempregada, se submeter a um arriscado tratamento de fertilidade para engravidar de óctuplos.

o gênio por TRÁS DELA: Nadya Suleman

a sacada ACONTECEU: 2008

resumo da ÓPERA: Nadya Suleman adora crianças. Não gente, falando sério, como já tem seis filhos, podemos dizer que ela ama de paixão. E essa mãe de 33 anos de idade gostaria muito, muito, muito, muito, muito, muito, muito, de ter mais oito – imediatamente!

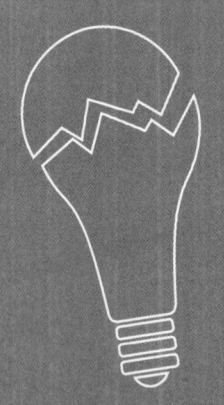

Por isso, sob a orientação de seu médico, Suleman deixa de lado as preocupações com seu histórico de severa depressão pós-parto e toma a decisão polêmica (e muitas vezes perigosa) de implantar seis embriões no útero ao mesmo tempo.

de mal A PIOR:

Entrando para a História, no dia 26 de janeiro de 2009 ela dá à luz oito bebês (dois embriões haviam se dividido em gêmeos) – apenas o segundo grupo de óctuplos vivos a nascer nos Estados Unidos. No mesmo instante, em uma explosão mundial da mídia, nasce a Octomãe.

Intrigada com o fato de Suleman ser divorciada, estar desempregada e já ter vários filhos, a imprensa esmiúça cada centímetro de sua excêntrica existência. A opinião pública logo azeda. Sobrevivendo da caridade da família e do apoio do governo, sem qualquer fonte de renda visível, ela é taxada de "irresponsável" e "inapta" a cuidar de 14 crianças. Sua casa é vandalizada. Ela recebe ameaças de morte. Há quem afirme que Suleman pode perder a guarda de todos os filhos.

deu no que DEU:

Previsivelmente, a reality TV bate à sua porta. Um especial sobre a Octomãe no Reino Unido faz sucesso, mas logo perde audiência diante da repulsa do público. A mãe de Suleman a descreve como "sobrecarregada" (que nada!), tentando cuidar de sua legião de filhos. E a financeira de sua pequena casa de quatro quartos em La Habra, Califórnia, ameaça despejá-la por inadimplência.

reflexões POSTERIORES:

"Para ajudar a pagar o aluguel", Suleman estrela um vídeo pornô produzido pela Wicked Entertainment em 2012. Ela também aparece em uma boate de striptease da Flórida, ocupando o palco no papel de uma pobre estudante chupando um pirulito. Tempos depois, numa tentativa de evitar a execução de sua hipoteca, ela leiloa um *caliente* "encontro com a Octomãe" no site WhatsYourPrice.com. O lance inicial: 500 dólares. E, em 2014, o condado de Los Angeles a processa por fraudar benefícios sociais.

O *Ugh!* DO MILÊNIO

a MÁ IDEIA: Criar um verdadeiro circo em torno de uma teoria pífia sobre um iminente "Bug do Milênio".

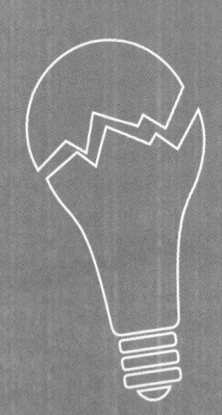

os gênios por TRÁS DELA: Os autores tech Jerome Murray e Marilyn Murray

a sacada ACONTECEU: 1984

resumo da ÓPERA:

Nos primórdios da informática, um software geralmente é programado usando-se os últimos dois dígitos de um dado ano para indicar a data. Assim, segundo os Murray, quando 31 de dezembro de 1999 (31/12/99) se transformar em 1º de janeiro de 2000 (1/1/00), os computadores vão funcionar incorretamente, como se a nova data, na verdade, fosse 1º de janeiro de 1900 (também 1/1/00).

As mais sinistras consequências são previstas: os aviões cairão dos céus. Os mísseis de defesa não poderão ser lançados. As telecomunicações serão interrompidas. O sistema financeiro entrará em colapso...

de mal A PIOR:

Preparando-se para esse temido "Armagedom" digital, governos, empresas e indivíduos desembolsam mais de 300 bilhões para corrigir ou substituir softwares antigos na esperança de proteger seus computadores do chamado "Bug do Milênio". Muitos, porém, não se deixam convencer pelas previsões apocalípticas do Y2K e se recusam a tomar quaisquer precauções.

deu no que DEU:

Quando o relógio dá meia-noite em 31 de dezembro de 1999, algo notável acontece: NADA. Aqueles que não gastaram um centavo armando-se até os dentes contra o Bicho Papão do Milênio não enfrentam mais problemas em seus computadores do que os que torraram milhões.

Mais tarde, o *Wall Street Journal* classifica o susto informático do Y2K como sendo equivalente a um "culto do fim do mundo" e "a maior fraude do século 20".

reflexões POSTERIORES:

Na onda da não calamidade do Y2K, a crescente indústria do backup de dados digitais alcança a estratosfera – e também o ceticismo do público em relação às previsões científicas, como demonstra a mais recente reação às teorias do aquecimento global.

COMENDO O BIG MAC QUE O DIABO AMASSOU

a MÁ IDEIA: Recomendar que seu cliente, a maior cadeia de restaurantes do mundo, processe um carteiro e uma jardineira por insultarem seus hambúrgueres.

o gênio por TRÁS DELA: O McJurídico do McDonald's

a sacada ACONTECEU: 1985

resumo da ÓPERA:

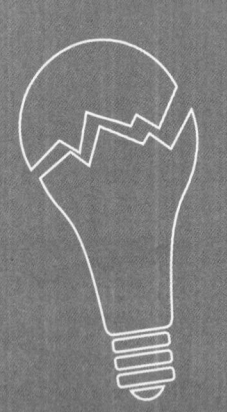

Muito antes de Morgan Spurlock nos conscientizar sobre a doentia obsessão americana por fast food, os ativistas ambientais David Morris e Helen Steel, que gostam das coisas pão, pão, queijo, queijo, acampam diante dos Arcos Dourados em Londres e distribuem seu panfleto intitulado *O que há de errado com o McDonald's? Tudo que eles não querem que você saiba*.

A alta cúpula do McDonald's (possivelmente liderada por um furioso Palhaço Ronald) decide fazer os dois comerem o Big Mac que o diabo amassou.

de mal A PIOR: Aproveitando as rigorosas leis britânicas antidifamação, a empresa, armada com uma equipe de advogados mais dura e casca-grossa que pão dormido, *ensanduícha* o carteiro e a jardineira financeiramente carentes.

Durante os cinco anos seguintes, representando a si mesmos, Morris e Steel bancam o Davi e enfrentam o Golias do McDonald's no tribunal – elevando-se ao status de heróis da classe trabalhadora. Pouco a pouco, a imagem pública do McDonald's começa a se esfarelar.

deu no que DEU: Quando as sementes de gergelim assentam, concluindo o processo civil mais longo da história da Inglaterra, o juiz decide que as acusações de Morris e Steel, conforme expostas em seu panfleto, são essencialmente *verdadeiras*: o McDonald's "explora crianças" com sua publicidade; é "culpavelmente responsável" por atos de crueldade contra animais; é "avesso" à sindicalização e paga muito mal seus funcionários. Ele então declara os dois inocentes de todas as acusações de difamação, menos uma, suspende a sentença e lhes impõe uma multa de 40 mil libras (apenas pouco mais de 60 mil dólares hoje) – que os dois panfletistas jamais chegam a pagar.

reflexões POSTERIORES: Mais alegres do que um McLanche Feliz, Morris e Steel contra-atacam, entrando com um processo no Tribunal Europeu de Direitos Humanos. Quando o tribunal arbitra em favor do casal, os defensores do livre-discurso no mundo inteiro exclamam: "Amo Muito Tudo Isso!" Morris e Steel documentam sua indigesta batalha legal com o McDonald's em um filme de 2005, intitulado *McLibel*.

Oprah SEGURA OS CAUBÓIS PELOS Chifres

a MÁ IDEIA: Dar uma marrada na deusa da mídia Oprah Winfrey.

os gênios por TRÁS DELA: Criadores de gado do Texas

a sacada ACONTECEU: 1996

resumo da ÓPERA: Durante um acirrado debate no talk show sobre a prática canibalística adotada pela indústria do gado de alimentá-lo com carne de vaca – e seu possível papel na disseminação do Mal da Vaca Louca –, a apresentadora Oprah Winfrey declara: "Isso fez com que eu parasse de comer hambúrguer!"

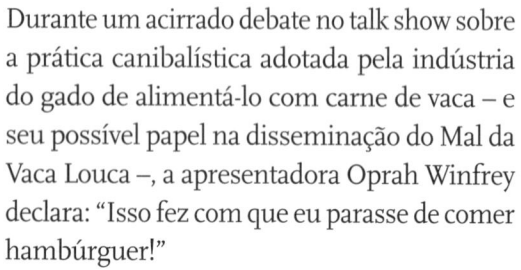

Um grupo de caubóis texanos laça Oprah e a leva ao tribunal, alegando que sua "falsa difamação da comida perecível" (que, surpreendentemente, é ilegal no Texas) fez com que os preços do gado despencassem, causando um prejuízo de 12 milhões de dólares à indústria da carne só no estado por vendas perdidas.

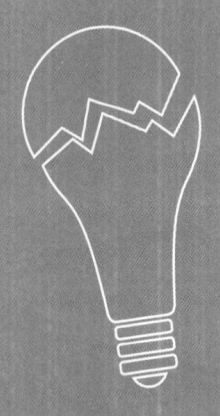

de mal A PIOR:

A mais conhecida e influente bilionária da América, Oprah está mais do que disposta a bater de frente com esses bullies broncos. Reagindo às acusações dos advogados da indústria do gado de que seu amado talk show "agiu como chefe de torcida e promoveu uma mentalidade de linchamento público" numa vingança preconceituosa contra o hábito de comer carne, Oprah decide pegar o touro pelos chifres.

Levando seu programa até Amarillo, local do julgamento, Oprah mete a boca no berrante dentro e fora do tribunal. Celebridades texanas são convidadas a aparecer no programa. Uma cobertura ininterrupta da mídia encoraja os habitantes locais a fazerem piquete diante do tribunal, em defesa da apresentadora. Em Santa Fé, Novo México, os fãs de Oprah protestam, pisoteando hambúrgueres para demonstrar solidariedade.

deu no que DEU:

No fim, fica claro que a defesa da indústria do gado não passa de conversa pra boi dormir. Em 26 de fevereiro de 1998, Oprah é absolvida de todas as acusações. Com lágrimas nos olhos, ela grita para a multidão de apoiadores: "O discurso livre não apenas está vivo, como ele é o máximo!" E acrescenta, irônica: "E continuo sem comer hambúrguer."

reflexões POSTERIORES:

Graças em parte a esse caso, a grotesca prática de alimentar o gado com carne de vaca passa a ser ilegal. Mas, ainda assim, continua sendo permitida nas criações de porcos e galinhas.

VOCÊS QUE SE MADOFF!*
(*LEIA A PALAVRA DE TRÁS PARA FRENTE)

a MÁ IDEIA: Confiar economias de uma vida inteira ao investidor mequetrefe Bernie Madoff.

os gênios por TRÁS DELA: Milhares de investidores individuais e institucionais no mundo inteiro

a sacada ACONTECEU: 1991

resumo da ÓPERA: Outrora técnico de sprinklers, Bernard L. Madoff é a personificação do sonho americano: transforma um ínfimo investimento inicial de 5 mil dólares em sua financeira em 1960 numa fortuna pessoal de quase 1 bilhão de dólares em 2008.

Para escândalo de todos, seu sonho americano se torna um pesadelo para milhares de investidores que confiam em seus sábios conselhos e reputação para obter taxas de juros extraordinariamente altas. Porque Madoff não é, na verdade, "o maior criador de mercado da NASDAQ". Ele é, mais exatamente, uma das maiores fraudes do século.

de mal A PIOR:

Certa noite, em dezembro de 2008, Madoff admite para os filhos, ambos sócios-sênior em sua firma, que a empresa está tendo dificuldades para atender saques de quase 7 bilhões de dólares solicitados por investidores afetados pela economia instável dos EUA. Ele também confessa que, durante os últimos 17 anos, tem dirigido não um fundo de investimentos, mas um esquema Ponzi (pirâmide) – fraude que consiste no pagamento de supostos juros, a certos investidores, tirados dos depósitos de outros investidores.

Na verdade, Madoff revela, a maior parte dos 65 bilhões que seu fundo coletou de indivíduos crédulos e bem intencionados, instituições de caridade e fundações foi utilizada para perpetuar o ardil – e para encher o bolso do próprio Madoff.

deu no que DEU:

Os filhos Mark e Andrew denunciam o pai às autoridades, levando-o à prisão. Com as acusações incluindo fraude de títulos financeiros, lavagem de dinheiro, perjúrio e falsificação de filings SEC, o idoso Madoff se declara culpado. Inclemente, o juiz o condena a 150 anos de prisão e mais 170 milhões de dólares em indenizações.

reflexões POSTERIORES:

Alvejando a comunidade judaica, Madoff (também judeu) seduz a Universidade Yeshiva, a Organização Sionista de Mulheres da América, a Fundação Wunderkinder, de Steven Spielberg, e mais inúmeras federações e hospitais israelitas. Alguns são forçados a interromper suas operações. O astro do beisebol Sandy Koufax, o apresentador de tevê Larry King e centenas de bancos, financeiras, corporações, escolas e instituições beneficentes em todo o mundo caem no esquema de Madoff. Uma investigação resulta na reprimenda de sete funcionários da Comissão de Títulos Financeiros e Câmbio, mas ninguém é demitido.

ESSES LOBISTAS NÃO ESTÃO *Regulando Bem*

a MÁ IDEIA: A desregulamentação da indústria financeira.

os gênios por TRÁS DELA: Lobistas dos bancos e das empresas de títulos financeiros e os políticos que eles subornam

a sacada ACONTECEU: Fim da década de 1970

resumo da ÓPERA: Um estudo sobre contrastes: quando a Grande Depressão da década de 1920 se instala, os especialistas argumentam que a América precisa de regulamentação financeira. Resultado: a Lei Glass-Steagall, de 1933, que acalma o mercado ao estabelecer o fundo garantidor de crédito.

Mas, quando a grande recessão do fim da década de 1970 se instala, os especialistas argumentam que a América precisa urgentemente de desregulamentação financeira. Resultado: a mais onerosa série de *booms*, falências e resgates que os Estados Unidos já viram.

de mal A PIOR: Tudo começa em 1978. A Suprema Corte prepara o terreno para a eliminação dos tetos de usura dos bancos. Quatro anos depois, as poupanças e os empréstimos ganham o poder – mas não a expertise – de oferecer contas correntes de altos juros, no estilo conta investimento.

Em consequência, quase 750 das caixas econômicas da nação vão à falência, o que custa 87,9 bilhões de dólares aos contribuintes americanos.

deu no que DEU: Em 1999, a Lei Glass-Steagall é revogada. Um ano depois, os "derivativos de crédito", famosos por serem incompreensíveis, são desregulados. Logo, diminuem as restrições a empréstimos por hipoteca – permitindo que quase todo mundo se qualifique.

Com as hipotecas pouco sólidas, cresce a bolha imobiliária. Quando os valores dos imóveis despencam vertiginosamente em 2007, há uma onda de execuções. E a Recessão Mundial de 2008 dá seus primeiros passos.

reflexões POSTERIORES: Em reação à maior baixa econômica desde a Grande Depressão, os bancos dos EUA forneceram uma ajuda de 700 bilhões. No espaço de três décadas, a desregulamentação financeira, defendida por seus proponentes como algo positivo para o mercado consumidor, custou quase 800 bilhões aos americanos.

Mais de O Melhor do Pior: Que Diabos Eles Tinham na Cabeça?

Pastores Santos, Não Tão Santos Assim e Encapetados Mesmo

A pastora: Aimee Semple McPherson

A má ideia: "O Golpe da Falsa Morte no Rádio."

Oremos, irmãos: Todos acreditam que McPherson, fundadora da Foursquare Church e uma das maiores evangélicas do rádio nas décadas de 1920 e 1930, se afogou ao nadar em Venice Beach, na Califórnia. Um mês depois, ela reaparece no deserto mexicano, alegando ter sido dopada, sequestrada e mantida em cativeiro. Nesse ínterim, testemunhas oculares afirmam que a viram em Carmel, na Califórnia, dividindo uma cabana em clima de romance com um engenheiro de som casado.

O fim está próximo: O júri considera inconclusivas as evidências de que McPherson simulou a própria morte e o próprio sequestro. Ela morre de uma overdose acidental de barbitúricos em 1944.

Os pastores: Jim e Tammy Faye Bakker
A má ideia: "A Fraude da Disneylândia para Evangélicos."
Oremos, irmãos: Namorados nas aulas de estudos bíblicos que alcançam o estrelato televangélico nas asas da Christian Broadcasting Network, o animadíssimo casal funda a Praise the Lord Network – com 13 milhões de espectadores – e a Heritage USA, um parque temático religioso na Carolina do Norte.

No entanto, em 1987, a parceria se torna uma veloz descida de montanha-russa ao inferno, quando Jim é exposto por ter tido um caso meteórico com Jessica Halm, uma secretária de igreja de Long Island – ainda por cima tendo comprado seu silêncio com subornos – e por tomar dinheiro de mais de 150 mil contribuintes para seu ministério.

O fim está próximo: Os Bakker se demitem da PTL, cumprem pena na prisão e se divorciam ainda no xadrez. Em 2006, Jim lança um programa de tevê evangélico com sua segunda esposa. Em 2007, Tammy morre de câncer.

O pastor: Jimmy Swaggart
A má ideia: "O Safadinho de Nova Orleans."
Oremos, irmãos: Aos 8 anos de idade, ele já demonstra o dom de línguas nos encontros da Renovação Pentecostal. Como adolescente evangélico, faz discursos inflamados contra os males de Satã e canta nos shows da banda local com os primos Jerry Lee Lewis e Mickey Gilley. Aos 40, preside um ministério com sua própria rede de emissoras, transmitindo para 195 países. E, aos 53, seu caso com uma prostituta de Nova Orleans põe um ponto final em sua folia carnavalesca.

Recusando uma suspensão disciplinar da igreja Assembleias de Deus, Swaggart é destituído de sua posição de liderança. E, após a lacrimosa confissão televisionada, onde solta a famosa exclamação "Pequei contra ti, Senhor", ele funda sua própria e independente igreja.

O fim está próximo: Em 1991, Swaggart é preso pela polícia quando tenta contratar os serviços de uma prostituta, dessa vez na Califórnia... e negociando o programa estacionado na contramão.

O pastor: Richard Roberts
A má ideia: "Levar Pau na Prova Oral."
Oremos, irmãos: Um cantor de rock que sonha em se tornar astro em Las Vegas, Richard, filho do icônico televangélico Oral Roberts, é despertado um dia de uma soneca pela voz de Deus dizendo-lhe para mudar de vida. Ele obedece. Juntando-se ao ministério do pai, ele termina por chegar ao cargo de diretor.

Em 2007, Roberts é acusado de desviar dinheiro isento de taxas da Universidade Oral Roberts para um político em Tulsa, Oklahoma. Ele também é acusado de usar fundos da universidade para pagar inúmeras despesas, incluindo uma viagem particular de jatinho da filha às Bahamas, um haras mantido para uso exclusivo dos filhos, 11 projetos de reformas de casas e diversos carros de luxo. Funcionários da universidade chegam a afirmar que são obrigados a fazer os deveres de casa de sua filha.

O fim está próximo: Classificando as acusações de "extorsão", Roberts termina por se demitir. Em 2008, a universidade o nomeia presidente honorário. E, em 2009, todas as pendências jurídicas são resolvidas ou arquivadas.

O pastor: George Alan Rekers
A má ideia: "Viajar *beeem* acompanhado."
Oremos, irmãos: Fotografado no Aeroporto Internacional de Miami com um rapazola ao voltar de uma viagem de 10 dias ao exterior, o líder cristão George Alan Rekers afirma que o jovem nada mais é que um mero acompanhante.

Um fato importante omitido na explicação é que o proeminente ativista antigay, conselheiro científico da Associação Nacional para a Pesquisa e a Terapia da Homossexualidade (NARTH) e cofundador do Conselho de Pesquisas da Família Cristã, encontrou seu "par" na Rentboy.com, um site famoso por promover encontros homossexuais. Durante a viagem, o acompanhante alega ter feito massagens diárias em Rekers despido, incrementadas por uma técnica toda especial, que ele chama de "pincelada profunda".

O fim está próximo: Após protestar que "eu deliberadamente passo tempo com os pecadores com o objetivo amoroso de tentar ajudá-los", Rekers termina se demitindo da NARTH em 2010.

IDEIAS DE JERICO POR

Terra,

Água

& Ar

FAÇA UM *Test-Drive* NO LUXUOSO FORD "CHUPA-LIMÃO"

a MÁ IDEIA: O Edsel.

os gênios por TRÁS DELA: Os "parafusos frouxos" da Ford Motor Company

a sacada ACONTECEU: 1957

resumo da ÓPERA: Com a arquirrival General Motors roubando a pole na corrida para vender os grandes carros da América, a diretoria da Ford, apesar dos avisos de uma iminente recessão econômica, decide dar uma acelerada na competição – investindo a quantia, na época astronômica, de 400 milhões de dólares para criar "um tipo de carro totalmente novo".

Prometendo revolucionárias "You Ideas" (projeto quase todo baseado em pesquisas com os consumidores), tipo um câmbio acionado por botões no volante, o Edsel (que recebe o nome do filho do fundador Henry Ford) é concebido e desenvolvido em total sigilo. Ele chega a ser enviado para 1.500 concessionárias debaixo de lonas, para esconder seu "moderníssimo" design dos olhos do público.

de mal A PIOR: Então, quando a curiosidade do mercado engrena uma terceira, o lançamento capota em grande estilo. O inaugural e tão ansiosamente esperado Edsel 1958 é recebido com um "Ugh!" coletivo. Um crítico de automóveis comenta, sarcástico, que a grade frontal, semelhante a um colar de cavalo, "parece um Oldsmobile chupando limão". A *Consumer Reports* destaca problemas com a mão de obra. Uma pesquisa da Ford revela que os consumidores, ressabiados com a recessão, estão resistindo ao preço.

deu no que DEU: Em 1958, as vendas caem 30%. Em 1960, a queda atinge 90%. Após somente três anos – e centenas de milhões em perdas –, a Ford dá uma freada brusca, bem-vinda e permanente na produção do Edsel.

reflexões POSTERIORES: Uma das maiores mancadas comerciais de todos os tempos, "Edsel" se tornou sinônimo de lançamento de qualquer produto que dá errado. Ironicamente, hoje existem colecionadores ávidos dispostos a pagar uma fortuna (até 200 mil dólares) por um desses patinhos feios. Foram vendidas ao todo 110 mil unidades.

UM PASSATEMPO
Desenfreado PARA QUEM
NÃO SAI DOS *Trilhos*

a MÁ IDEIA:
Dar aos passageiros acesso fácil ao sistema de freios de uma locomotiva.

os gênios por TRÁS DELA: Os oligofrênicos do Ministério das Ferrovias da Índia

a sacada ACONTECEU: 1853

de mal A PIOR: Com mais de 18 milhões de passageiros sacolejando por quase 7 mil estações em 28 estados, a rede ferroviária indiana é uma das mais movimentadas do mundo.

No entanto, apesar de sua responsabilidade prática (para não dizer moral) de transportar os passageiros de maneira segura e eficiente, os administradores da rede têm uma ideia simplesmente genial: dar a cada um deles o poder de parar o trem à hora que quiser.

de mal A PIOR: Bastando puxar uma corrente situada no compartimento do passageiro, o viajante pode acionar os freios de emergência do trem, fazendo com que a locomotiva em alta velocidade dê uma freada brusca.

Concebido para permitir que os passageiros reajam em caso de emergência, os puxões na corrente logo se transformam em um passatempo nacional, causando, segundo relatos, descarrilamentos e ferimentos. E o pior é que os passageiros impacientes adquirem o hábito de parar o trem e descer antes da parada prevista – atrasando milhares de outros passageiros, que são forçados a esperar.

deu no que DEU: Ainda comum nas ferrovias da Índia, o hábito de puxar a corrente hoje é punido com uma multa de 1.000 rúpias (aproximadamente 16 dólares) e/ou um ano de detenção. Para resolver o problema, o ex-presidente da Índia, Abdul Kalam, propõe substituir os sistemas de freios existentes por sistemas de alarme, também com correntes, que alertem as autoridades em caso de emergência – deixando, assim, o controle operacional nas mãos do maquinista.

reflexões POSTERIORES: Embora nunca tenha sido associada de modo convincente ao problema na rede ferroviária indiana, a frase "você está puxando minha corrente?" se tornou uma expressão idiomática bastante conhecida, querendo dizer "você está brincando comigo?".

Ah,
A OBTUSIDADE!

a MÁ IDEIA: Atravessar o oceano a bordo de um balão gigantesco repleto de hidrogênio altamente combustível.

o gênio por TRÁS DELA: The Zeppelin Company

a sacada ACONTECEU: Segunda metade da década de 1930

resumo da ÓPERA: Vivemos em uma era high-tech, onde os voos transatlânticos são seguros, uma ocorrência cotidiana, então é difícil imaginar uma época em que o mais concorrido transporte aéreo para se viajar da América à Europa dava ao passageiro um assento precariamente pendurado abaixo de 200 mil metros cúbicos de hidrogênio.

Mas, à falta dos Boeings 747, que ainda não foram inventados, as aeronaves repletas de gás ou "dirigíveis", como o *Hindenburg* alemão, são a melhor alternativa do viajante intercontinental moderno para as longas viagens em alto-mar – contanto que o referido viajante não se importe de ser transportado em um monstruoso leviatã que carrega em seu bojo um incêndio em potencial.

de mal A PIOR:

O ano é 1937. E logo em sua primeira temporada de voos transoceânicos, o *Hindenburg* conclui o trajeto Frankfurt–Rio de Janeiro antes de decolar para os Estados Unidos. Ventos fortes e chuvas na cidade de destino, Lakehurst, em Nova Jersey, causam um atraso de quase 12 horas ao dirigível e seus 97 passageiros.

Quando a aeronave finalmente se aproxima do ponto de atracação em Jersey, as testemunhas relatam que o tecido acima do estabilizador vertical começa a se agitar, como se o gás estivesse escapando do interior. Ao mesmo tempo, arcos azuis de eletricidade são vistos perto do mesmo estabilizador esquerdo. Em poucos momentos, labaredas gigantescas engolfam o zepelim inteiro.

deu no que DEU:

Apenas 35 segundos depois, o tecido que reveste o *Hindenburg* é reduzido a cinzas. Quando seu frágil esqueleto de duralumínio cai no chão, o repórter de rádio Herbert Morrison, testemunha ocular do acidente, solta a melancólica exclamação que se tornou legendária: "Ah, a humanidade!" Trinta e cinco passageiros a bordo – e uma pessoa em solo – morrem.

reflexões POSTERIORES:

Terá sido a eletricidade estática? Relâmpagos? Uma falha estrutural? Talvez sabotagem? Ninguém conhece a verdadeira causa do desastre do *Hindenburg*. Mas uma coisa é certa: junto com o acidente fatal do *Akron* soviético, que flutuava com hélio, quatro anos antes, a tragédia do *Hindenburg* assinala o fim da confiança do público em viagens aéreas longas em dirigíveis de uma vez por todas.

COMO É QUE UM *Schettino* DESSES CHEGA A *Capitão?*

a MÁ IDEIA: Desviar um cruzeiro do seu curso em direção a uma ilha rochosa só para a tripulação poder acenar para os habitantes.

o gênio por TRÁS DELA: Francesco Schettino, comandante do *Costa Concordia*

a sacada ACONTECEU: 13 de janeiro de 2012

resumo da ÓPERA: A maioria dos passageiros nem se surpreende quando seu cruzeiro, o *Costa Concordia*, começa a se desviar do curso, em direção às rochas subaquáticas que cercam a ilha de Giglio, no litoral da Toscana.

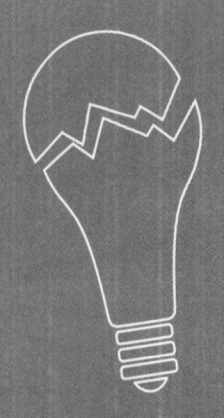

Afinal, o comandante tem o velho hábito de ordenar essas "aproximações" como um modo de ostentar seu imenso e reluzente navio de 562 milhões de dólares para os habitantes em terra. Além disso, a manobra dá a Schettino uma oportunidade de demonstrar suas habilidades aos visitantes não autorizados que ele convidou a se reunirem na ponte aquele dia.

de mal A PIOR:

Mas, em meio à frivolidade e às distrações, o casco do gigantesco navio esbarra em rochas e encalha. Em pouco tempo, ele começa a fazer água e aderna para estibordo, praticamente submerso. Trinta e duas pessoas a bordo morrem.

No caos que se segue, o comandante Schettino garante às autoridades da Guarda Costeira que seu navio apenas sofreu um corte de energia temporário – omitindo o importante fato de que o *Concordia* está afundando. Então, tomado de pânico, ele viola a primeira diretriz marítima dos comandantes de navio e abandona a embarcação, enquanto os passageiros tentam desesperadamente entrar nos botes salva-vidas. Mais tarde, ele discute por celular com as mesmas autoridades perplexas, quando elas lhe pedem que volte ao navio imediatamente para coordenar a evacuação.

deu no que DEU:

Quando o caos finalmente amaina, Schettino é acusado de homicídio culposo, entre outros crimes. Como 2.300 toneladas de combustível vazaram no Mediterrâneo do casco danificado do *Concordia*, ele também é acusado de destruir um hábitat natural: a reserva ambiental de Giglio. Megaprocessos instaurados pelos passageiros e as famílias das vítimas contra os operadores do navio e seu proprietário, a Carnival Corporation of Florida, ainda tramitam na Justiça.

reflexões POSTERIORES:

Apesar de dizer mais tarde aos investigadores que não consumiu bebida alcoólica, Schettino, que é casado, é fotografado jantando e bebendo uma garrafa de vinho com uma jovem dançarina do cruzeiro 30 minutos depois da tragédia. Para comprometer ainda mais sua credibilidade, o comandante também alega ter caído acidentalmente em um bote salva-vidas quando o navio subitamente adernou antes de afundar. Em julho de 2013, ele é julgado por múltiplas acusações de homicídio culposo.

FERRANDO A RAÇA *Através* DA FUMAÇA

a MÁ IDEIA: Parar de fabricar um carro elétrico econômico para desenvolver o Hummer, um beberrão de gasolina altamente poluidor.

o gênio por TRÁS DELA: A diretoria da General Motors

a sacada ACONTECEU: 2003

resumo da ÓPERA:

Enquanto o sul da Califórnia avança rumo ao novo milênio entre espirros e crises de asma – só em 1995 são emitidos 41 alertas de *smogs* perigosos, de primeiro estágio –, a poluição do ar gerada por veículos se torna um sufoco literal.

Por isso, o Comitê de Recursos do Ar da Califórnia adota uma lei rigorosa que ameaça proibir os fabricantes de automóveis de venderem novos carros no estado, a menos que se comprometam a fabricar ZEVs (veículos de emissão zero). Encarando isso como uma verdadeira trombada no lucrativo status quo, a GM responde engrenando o projeto do ZEV – e dando marcha à ré no próprio ao mesmo tempo.

de mal A PIOR:

Só para começar, a GM gasta 1 bilhão de dólares desenvolvendo e divulgando o EV1, um carro totalmente elétrico que só emite vapor d'água. Nesse meio-tempo, a empresa torra mais alguns milhões fazendo lobby para revogar a lei do ZEV. Em seguida, ela dá uma acelerada no desenvolvimento do Hummer, que faz 4 km/l e pesa três toneladas.

Com o dinheiro da GM dando uma fechada no debate, a lei do ZEV dá perda total em 2003. Para comemorar, o fabricante automotivo faz um recall de todos os EV1s – e depois os destrói – ao completar seu leasing, citando um suposto superaquecimento irreparável e risco de incêndio. Em seguida, a GM se concentra em tentar vender o Hummer. Mas o excremento logo bate na ventoinha.

deu no que DEU:

Em 4 de julho de 2008, o preço da gasolina nos Estados Unidos chega a 4,12 dólares por galão, um recorde na época. Com a corda no pescoço em plena Grande Recessão, os americanos não querem saber de carrões caros e *gasólatras*, como o Hummer, e preferem veículos menores, ecologicamente corretos, que economizam combustível. Tendo há muito deixado o mercado dos carros pequenos para os competidores estrangeiros, a GM declara falência menos de um ano depois. Parar de fabricar carros econômicos como o EV1 contribuiu para curto-circuitar o fabricante de automóveis mais poderoso do mundo.

reflexões POSTERIORES:

Apesar dos esforços da GM, o carro elétrico continua a ser fabricado nos dias de hoje. Por exemplo, o Tesla, movido a eletricidade, acelera tanto quanto uma Ferrari (0–100 em 3,7 segundos) e pode cobrir mais de 400 quilômetros com uma única carga de bateria. E a Raser Technologies lança, em 2009, um novo Hummer modificado, o H3, um híbrido (gasolina/elétrico) que se gaba de cobrir a incrível distância de 40 quilômetros por litro.

TEM PRETO, PRETO E... SE VOCÊ PREFERIR, *Preto*!

a MÁ IDEIA:

O automóvel monocromático.

o gênio por TRÁS DELA: Henry Ford

a sacada ACONTECEU: 1908

resumo da ÓPERA:

Muito antes do lilás, do vinho e do laranja, os automóveis só vinham na cor da sua escolha: preto, preto ou (se você pedir com jeitinho e encomendar com *muuuita* antecedência) preto.

Por que essa falta de opções? Bem, de acordo com Henry Ford, fundador da Ford Motor Company e überdeus de plantão da indústria automobilística, a tinta preta seca mais depressa – permitindo maior eficiência na sua revolucionária linha de montagem.

A maioria dos outros fabricantes, curvando-se ao fato de Ford dominar 50% do mercado, segue seu exemplo. Durante quase vinte anos, todos os carros fabricados nos Estados Unidos são da mesma cor "alegre".

de mal A PIOR:

Mas, com o tempo, fazendo questão de oferecer aos consumidores "qualquer cor que eles queiram, desde que seja preto", Ford inadvertidamente dá uma luz diferenciada à concorrência. A Buick, a Chevrolet, a Oldsmobile, a Chrysler, a Packard e outras finalmente conseguem disponibilizar seus automóveis em uma variedade de cores.

deu no que DEU:

Enquanto a Grande Depressão se arrasta, a fatia do mercado dominada por Ford começa a encolher – para nunca mais se aproximar dos 50%. Em 1957, Henry finalmente volta atrás, permitindo que sua equipe executiva introduza um novo Ford: o Modelo A. E que é oferecido ao público, naturalmente, em diversas cores.

reflexões POSTERIORES:

A obsessão de Henry Ford com a eficiência reduz o preço de um automóvel em míseros 290 dólares. Sua legendária parcimônia também o leva a reciclar engradados de madeira comprados das fábricas para fazer assentos para o Modelo T – e a transformar restos de madeira da produção do Modelo T em carvão comercializável.

SÓ É BOM *Parado*

a MÁ IDEIA: O Chevy Corvair.

os gênios por TRÁS DELA: Os prafrentex da Chevrolet

a sacada ACONTECEU: 1960

resumo da ÓPERA:

Os marqueteiros da Chevy dão uma sacada na popularidade juvenil do fusquinha da Volkswagen e decidem imitar características marcantes do novo carrinho – seu tamanho compacto, o motor traseiro refrigerado a ar e o câmbio diferencial reduzido, entre outras –, concebendo o primeiro "compacto de tamanho americano" da empresa: o Corvair.

Com a pioneira estrutura do chassi e o turbo-compressor opcional, o Corvair vende mais de 250 mil unidades no primeiro ano. As vendas continuam a acelerar até meados da década de 1960 – quando uma *canetada* fura os quatro pneus do popular carango.

de mal A PIOR:

Em seu livro de 1965, *Unsafe at Any Speed* (Inseguro em Qualquer Velocidade), Ralph Nader destrincha o sistema de "suspensão traseira com semieixos independentes" do carro, expondo o modo como contribui para que o motorista perca o controle, derrape e gire.

Chamando o Corvair de "o acidente de um carro só", Nader destaca as medidas da Chevrolet para reduzir os custos da suspensão do Corvair, fazendo com que ele "afunde" quando é forçado nas curvas, muitas vezes com resultados fatais.

deu no que DEU:

Enfrentando uma carga pesada de publicidade negativa – para não falar na intensa competição do novo e moderno Mustang da Ford –, o diretor-geral da Chevrolet, John DeLorean, pisa no freio. Ele ordena que se produzam apenas 6 mil novos Corvair em 1969 – que vem a ser o último ano de fabricação do automóvel.

reflexões POSTERIORES:

A decisão da Chevrolet de tirar o Corvair de linha é tomada apesar das modificações no sistema de suspensão, realizadas em 1964, que em nada ajudam a eliminar os acidentes causados pelo problema de engenharia. Ainda assim, o Corvair continua sendo o último carro com motor traseiro refrigerado a ar feito nos Estados Unidos.

AMBIÇÃO CEGA
(Quer Dizer, CAOLHA)

a MÁ IDEIA: Confiar que a Ford Motor Company não vai roubar sua invenção.

o gênio por TRÁS DELA: O inventor Robert Kearns

a sacada ACONTECEU: 1º de dezembro de 1964

resumo da ÓPERA: É sua noite de núpcias. Em um momento de feliz celebração, Robert Kearns estoura uma rolha de champanhe – que acerta seu olho esquerdo, deixando-o parcialmente cego.

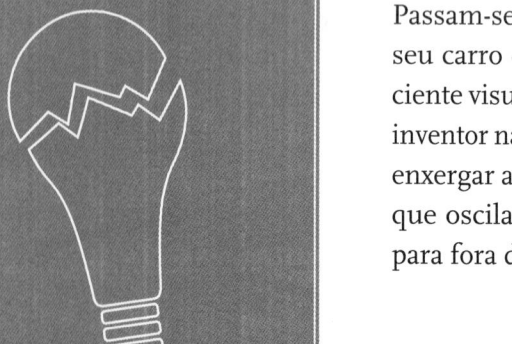

Passam-se 10 anos. Voltando para casa em seu carro durante uma tempestade, o deficiente visual que é engenheiro automotivo e inventor nas horas vagas franze os olhos para enxergar através do limpador de para-brisas que oscila rapidamente – e quase derrapa para fora da estrada.

de mal A PIOR: Mesmo com um olho prejudicado, Kearns enxerga uma oportunidade de longe. O resultado é uma invenção visionária, o limpador de para-brisas intermitente (temporizador). E, com a patente de seu dispositivo automobilístico, vêm os sonhos de fama e riqueza.

De olho nos lucros, Kearns leva sua invenção à Ford. Mas, durante as negociações, os engenheiros da empresa copiam em segredo a ideia de Kearns. Pagando-lhe uma ninharia pelos direitos, eles começam a instalar sua própria versão dos limpadores intermitentes em modelos da Ford no ano seguinte. Num piscar de olhos, a Chrysler, a GM, a Mercedes e os fabricantes japoneses, lógico, também começam a clonar sua nova invenção.

deu no que DEU: À moda de Davi, Kearns processa o Golias da Ford. Notavelmente, ele ganha, recebendo 10,1 milhões. Ele então emprega toda essa quantia (e por fim atua como seu próprio advogado) para processar a Chrysler – em um julgamento que acaba por lhe render mais 30 milhões.

Infelizmente, as obsessivas batalhas legais de Kearns contra os gigantes da indústria automobilística se estendem durante anos e lhe custam a carreira, o casamento e a saúde. Há muito divorciado, condenado ao ostracismo pela indústria automobilística e vivendo sozinho da mão para a boca, ele desfruta de seu acordo legal por pouco tempo, antes de sucumbir a um câncer cerebral em 2005.

reflexões POSTERIORES: Se Kearns tivesse recebido apenas 1 dólar de cada limpador de para-brisas intermitente instalado entre 1970 e 2005, o ano de sua morte, sua ideia brilhante teria lhe rendido no mínimo 560 milhões. Um filme baseado em suas aventuras, *Jogada de Gênio*, estrelado por Greg Kinnear, foi lançado em 2008.

O Pior do Pior: *Titicanic*

O *Titanic*: Uma Má Ideia Nunca Viaja Sozinha

Em 14 de abril de 1912, o RMS *Titanic*, o mais rápido e maior navio da Terra – que transporta algumas das pessoas mais ricas do mundo – bate em um iceberg a toda velocidade e afunda nas profundezas geladas do Atlântico Norte. Mais de 1.700 pessoas morrem em questão de minutos.

Embora essa tragédia tenha sido icônica, sua história é tristemente irônica. É a história de uma má ideia que encontra outra – e mais outra... e mais outra... e, infelizmente, mais outra.

👎 Má Ideia 1: Aço Quebradiço

O aço usado na construção do *Titanic* está longe de ser de boa qualidade, contendo uma alta proporção de enxofre. Em consequência, nas águas geladas do Atlântico Norte, o casco do navio se torna cada vez mais frágil – e tanto mais vulnerável a perfurações por objetos externos afiados, como, por exemplo, um iceberg.

👎 Má Ideia 2: Falta de Tetos

Thomas Andrews, o designer e arquiteto do navio, não especifica que tetos devem ser instalados nos compartimentos "à prova d'água". Quando cada compartimento é inundado após o impacto da colisão com o iceberg, a água passa pela parte superior das paredes, inundando o compartimento ao lado – e o seguinte, e o seguinte, e o seguinte –, o que condena o navio. Tetos poderiam ter contido a água da inundação, assim salvando o *Titanic*.

👎 Má Ideia 3: Vigias sem Binóculos

Na noite da tragédia, os vigias Frederick Fleet e Reginald Lee estão no alto do cesto de observação do navio, esquadrinhando a escuridão, numa inútil tentativa de detectar icebergs. Por quê? Porque alguém pegou emprestados os binóculos dos dois – e se esqueceu de devolvê-los. Quando eles finalmente chegam a avistar o perigo e gritam "Um iceberg... bem à frente!", já é tarde demais.

👎 Má Ideia 4: Direto para Estibordo

No instante em que Fleet e Lee avistam o iceberg, o primeiro oficial William Murdoch comete um grave erro. Ele dá a ordem de virar o navio "direto para estibordo", numa tentativa de se desviar do iceberg. Isso faz com que a montanha de gelo arranhe a lateral do casco do navio, inundando os cinco primeiros compartimentos. Se Murdoch tivesse simplesmente mantido o navio em curso reto, o *Titanic* teria batido de frente com o iceberg, o que destruiria apenas dois dos compartimentos dianteiros. Isso teria avariado o navio, mas os especialistas afirmam que o *Titanic* resistiria ao impacto sem, virtualmente, perda de vidas.

👎 Má Ideia 5: Poucos Barcos Salva-Vidas

Enquanto o navio afunda, os passageiros descobrem que o *Titanic* só possui barcos salva-vidas para *metade* do total de pessoas a bordo. Resultado: 1.700 morrem, inclusive o comandante Edward Smith e o arquiteto do navio, Andrews. O vigia Lee e o primeiro-oficial Murdoch também se vão. Mas Bruce Ismay, dono do "insubmersível" *Titanic*, entra em um barco salva-vidas e sobrevive.

CIENTISTAS LOUCOS
e os
MONSTROS
QUE ELES CRIAM

ALGUÉM PRECISA BOTAR ESSE *Sapo em Cana!*

a MÁ IDEIA: Importar um sapo gorducho, venenoso e voraz para livrar sua plantação de cana-de-açúcar de uma besourada chata.

os gênios por TRÁS DELA: Os fazendeiros de Cairns, na Austrália

a sacada ACONTECEU: 1935

resumo da ÓPERA: Um enxame de besouros tarados por açúcar está devorando as plantações de cana da Austrália. Então, os fazendeiros locais encontram a solução perfeita: importar 102 sapos do Havaí para traçar o incômodo bando.

Problema resolvido, certo, companheiro? Não exatamente. Nossos produtores de cana australianos desconhecem um importante aspecto da física dos batráquios: os besouros podem correr até o alto do pé de cana, onde os sapos pesadões, do tamanho de um prato de jantar, não os alcançam. E assim começa uma das piores calamidades ecológicas na história da Austrália.

de mal A PIOR:

Enquanto os besouros continuam a destruir as plantações de cana sem encontrar qualquer obstáculo, o sapão venenoso papa praticamente tudo em que põe os olhos. Alguns chegam a medir 60 cm de altura e a pesar quase 3 kg, além de viverem até os 35 anos antes de coaxar.

O que já é mau, mas isso é ainda pior: com as fêmeas produzindo mais de 50 mil ovos por ano, os sapos logo desbancam os coelhos como a maior peste da ilha e da nação – eles são encontrados fuçando latas de lixo domésticas, pilhas de legumes, verduras e frutas em mercearias, despensas de restaurante, armários de cozinhas e muito mais. Nesse ínterim, devido à toxicidade de suas entranhas, eles causam a morte de milhares de pássaros, cobras, dingos e crocodilos que se alimentam deles.

deu no que DEU:

Hoje, a população de sapos da cana na Austrália já ultrapassou a marca dos 200 milhões, sem nenhuma solução à vista. Recentemente, uma recompensa de $50 por sapo foi oferecida na internet. E um dos homens mais ricos do país ofereceu um copo de cerveja para cada saco de sapos mortos que lhe entregarem.

reflexões POSTERIORES:

A última esperança de fazer com que o sapo da cana (conhecido no Brasil como sapo-boi ou sapo-cururu) entre pelo cano é uma formiga carnívora nativa da Austrália – que pode ser atraída aos hábitats dos sapos usando-se – logo o quê! – ração para gato como isca.

ELES DEVEM TER FUMADO ERVA QUANDO FIZERAM ESSE ACORDO DANINHO

a MÁ IDEIA: A soja geneticamente modificada.

os gênios por TRÁS DELA: Os *trouxicidas* da gigante da biotecnologia Monsanto

a sacada ACONTECEU: 1996

resumo da ÓPERA: Boas notícias, Sr. Fazendeiro: a nova soja transgênica da Monsanto vai agradar seu departamento financeiro – ela dispensa os gastos enormes que o senhor tem tido livrando os campos das ervas daninhas. Desde que pulverize sua plantação com o herbicida Roundup (também fabricado pela Monsanto), o senhor nunca mais terá que arrancar mato na vida.

Pelo menos esse é o discurso que a Monsanto faz para os plantadores de soja no mundo inteiro, convenientemente omitindo um único ponto fundamental: que tudo isso não passa de um monte de estrume.

de mal A PIOR: Veja só: depois que a soja da Monsanto é plantada, ela exige quantidades enormes do caríssimo Roundup para matar as ervas daninhas ao redor. E só serve o Roundup. (Herbicidas alternativos mais baratos vão envenenar a plantação.) Com o tempo, o custo do Roundup (ora, que surpresa!) cresce cada vez mais. E, também com o tempo, outra coisa começa a crescer cada vez mais: as ervas daninhas, que se tornaram mais fortes e resistentes ao Roundup.

deu no que DEU: Não tendo tido escolha senão usar o Roundup, apesar do preço cada vez mais alto, os fazendeiros da soja são agora forçados a gastar ainda mais dinheiro para matar as próprias ervas daninhas que a empresa prometeu erradicar.

reflexões POSTERIORES: Organismos geneticamente modificados estão no centro da controvérsia em toda parte hoje. Os defensores alegam que eles melhoram significativamente os produtos das plantações. Os detratores afirmam que os alimentos transgênicos não são testados, nem indicados em rótulos, e seu consumo não é seguro.

Aliás, sabia que se o vento levar o pólen da sua soja da Monsanto para a fazenda do seu vizinho, com isso polinizando a plantação dele, a Monsanto tem o direito de exigir que ele desembolse uma "taxa tecnológica" por acre?

DE OLHOS BEM FECHADOS (OU *Petróleos* BEM ABERTOS)

a MÁ IDEIA: Permitir que a indústria do petróleo se autorregule.

o gênio por TRÁS DELA: O MMS (U.S. Minerals Management Service)

a sacada ACONTECEU: 1982 até o presente

resumo da ÓPERA:

Digamos que você é um fiscal de fronteira, cujo dever é parar e inspecionar veículos, à procura de contrabando. Agora, digamos que você também ganhe uma graninha de cada motorista quando permite que ele cruze a fronteira.

Esse seria um conflito de interesses absurdo – que não poderia acontecer na vida real, certo? Errado, espertão! Você acaba de entrar no mundo dos subornos do MMS, o Serviço de Administração de Minerais dos EUA, onde o oficial encarregado de fechar poços de petróleo que apresentam riscos é o mesmo cara que ganha rios de dinheiro quando o precioso ouro negro continua a correr lindo, leve e solto.

de mal A PIOR:

Como o esquema funciona? O MMS delineia metas de segurança vagas para o negócio perigoso de prospectar petróleo. Ele então permite que a indústria crie suas próprias estratégias para alcançar essas metas – com uma supervisão mínima. Ao mesmo tempo, o MMS recebe rendimentos das empresas de petróleo que prospectam em propriedades do governo.

deu no que DEU:

Resultado A: Medidas de segurança, como os "preventores de erupção", são timidamente sugeridas pelos reguladores, e sumariamente ignoradas pelos prospectores.

Resultado B: Hoje, um petroleiro em uma plataforma litorânea nos Estados Unidos tem uma probabilidade quatro vezes maior de sofrer um acidente fatal no trabalho do que na Europa, onde a supervisão das normas de segurança e a coleta de royalties são supervisionadas por entidades separadas.

Resultado C: A explosão na Deepwater Horizon, que mata 11 trabalhadores e despeja uma carga estimada de 4,9 milhões de barris de petróleo bruto no Golfo do México durante um período de três meses em 2009. É o maior desastre petrolífero litorâneo na história dos EUA.

reflexões POSTERIORES:

Em 2008, descobre-se que servidores do MMS criaram uma "cultura de falência ética", aceitando presentes de (e fazendo sexo com) representantes da indústria. Em 2009, Donald C. Howard, ex-supervisor regional do MMS no Golfo do México, se declara culpado por mentir sobre os regalos que recebeu.

Então, em 2012, a gigante do petróleo BP recebe a maior multa criminal na história dos EUA como parte de um acordo de 4,5 bilhões de dólares no desastre fatal da Deepwater Horizon. A administração Obama impõe restrições ambientais a todos os novos projetos de prospecção de petróleo em alto-mar, pondo fim ao tipo de isenção que havia permitido que a BP prospectasse no Golfo do México com pouca supervisão.

O ATAQUE dos FRANKENPEIXES

a MÁ IDEIA: Alterar salmões geneticamente para pesarem até 250 kg.

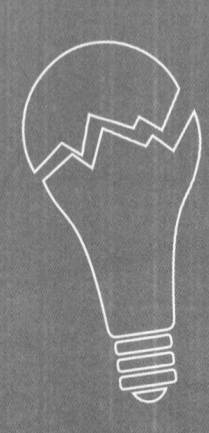

os gênios por TRÁS DELA: O pessoal da AquaBounty Farms, que não pesca nada

a sacada ACONTECEU: 1996

resumo da ÓPERA:

O típico salmão pesa aproximadamente 10 kg, adora nadar em rios e tem um gostinho delicioso quando é grelhado ou cozido.

Mas, para a AquaBounty Farms, do Canadá, o velho Sal já deu o que tinha que dar. A empresa pede à FDA dos EUA permissão para criar um supersalmão geneticamente modificado, que cresce sete vezes mais depressa, resiste a mais doenças e faz mais sucesso com o sexo oposto do que a Paris Hilton.

Contudo, antes mesmo que a versão ictiológica do Fat Bastard chegue às águas, a realidade joga sua rede em cima do projeto.

de mal A PIOR:

Chamando os novos salmões criados em fazendas de "Frankenpeixes", os biólogos e grupos de pescadores se preocupam com a possibilidade de o supersalmão escapar e levar "genes de cavalo de troia" para populações de salmões selvagens, causando mutações, doenças e até mortes.

Eles temem que o novo peixe, por ser maior, mais rápido e mais sexy, aniquile os cardumes de salmões do país, já ameaçados de extinção. Ou se tornem transmissores de doenças de dimensões cetáceas.

deu no que DEU:

Diante dos protestos, a FDA nega a solicitação da AquaBounty Farms. Mas, como o Jason, os Frankenpeixes são difíceis de matar. E persiste a preocupação de que outros países interessados – principalmente a China e a Rússia – aprovem o salmão geneticamente modificado nos próximos anos.

reflexões POSTERIORES:

Pesquisas com aproximadamente 35 espécies de peixes transgênicos estão sendo realizadas no mundo inteiro, incluindo a perca-listrada, a truta-arco-íris, a lampreia e a tilápia, além do abalone e das ostras.

O PESTICIDA HOMICIDA

a MÁ IDEIA: O Dicloro-Difenil-Tricloroetano, inseticida mais conhecido como DDT.

o gênio por TRÁS DELA: O químico suíço Paul H. Müller

a sacada ACONTECEU: 1939

resumo da ÓPERA:

Ele é uma verdadeira praga. O mosquito transmissor da malária mata milhões de pessoas a cada ano.

O químico suíço Paul Müller e seu pesticida DDT já estão a caminho! Saudado logo de início como o antídoto para doenças transmitidas por insetos, 3,6 bilhões de litros de DDT são pulverizados no mundo inteiro nas décadas de 1940 e 1950 – sem qualquer cuidado com as potenciais reações adversas do produto causadas em plantas, animais e humanos, que podem ser duradouras e até mesmo mortais.

de mal A PIOR:

Ao longo dos anos, esses problemas complexos acabam por formar seu próprio enxame. O DDT é acusado de causar um declínio considerável nas populações de pássaros no mundo inteiro, inclusive da famosa águia-careca. Em seu livro *Silent Spring*, de 1962, Rachel Carson imagina um tempo em que o DDT cala para sempre o som dos pássaros e dos insetos – transformando florestas e praias em terrenos baldios, silenciosos e estéreis.

deu no que DEU:

Para piorar ainda mais as coisas, os cientistas descobrem que a última geração de mosquitos se tornou resistente ao DDT – ao mesmo tempo que peixes e outros animais continuam a morrer de seus efeitos nocivos.

Em 1972, diante do número cada vez maior de evidências do papel que o DDT desempenha em tipos de câncer mortais, diabetes, asma e várias doenças neurológicas em humanos, o mesmo produto que em 1948 deu a Müller o Prêmio Nobel de Medicina (sim, *medicina*) é proibido para sempre nos Estados Unidos.

reflexões POSTERIORES:

Como prova de sua extraordinária durabilidade, acredita-se que praticamente todo americano hoje tem DDT tóxico em sua corrente sanguínea – mais de quatro décadas após a proibição.

Mais de O Melhor do Pior: Más Ideias que se Tornaram Ótimas

👍 Adolescente Cria uma Invenção de Ponta

Louis, um menino francês de três anos de idade, está brincando com um furador pontiagudo. Má ideia. Sem querer, ele fura o olho, causando uma infecção que o deixa totalmente cego.

Mas esse infeliz acidente de infância inspira Louis, agora com 13 anos, a usar o mesmo tipo de furador que causou sua cegueira para criar um sistema de leitura de pontos em relevo perceptíveis ao tato que ganha aceitação absoluta e hoje leva seu mudialmente famoso sobrenome: Braille.

👍 Um Filme Esquecível Leva a um Salvamento Inesquecível

O ator de cinema Ronald Reagan considera *Código do Serviço Secreto*, de 1939, um de seus filmes mais esquecíveis. Com um enredo fantasioso sobre estranhos falsificadores mexicanos, o filme é uma má ideia em termos de cinema.

Mas esse filme medíocre inspira um garoto de Miami chamado Jerry Parr a se tornar, ele próprio, um agente secreto. Anos mais tarde, o agente Parr enfrenta a saraivada de balas de um assassino para puxar o presidente dos EUA ferido para a limusine e levá-lo ao hospital. O presidente cuja vida Parr ajudou a salvar? O próprio astro de *Código do Serviço Secreto*, Ronald Reagan.

👍 Uma Vomitada de Proporções Históricas

A bordo de um pequeno navio durante uma das maiores tempestades do ano de 1620, um jovem chamado John Howland tem uma ideia não muito boa. Enjoado, ele se debruça demais na balaustrada do navio para vomitar – e cai imediatamente no mar. Vindo à tona por um momento no oceano agitado para respirar, ele avista uma adriça flutuando a pouca distância, segura-a e é finalmente puxado de volta ao deque por outros passageiros.

Howland, como o leitor observará, é um peregrino inglês. O navio é o *Mayflower*. E seu emocionante resgate em alto-mar atraiu a atenção de uma bela passageira chamada Elizabeth Tilley. Os dois acabaram se casando e, juntos, tiveram muitos bebês – 10, ao todo. E essas crianças fizeram história. Os descendentes de Howland incluem os presidentes Franklin D. Roosevelt, George H.W. Bush e George W. Bush; os atores Humphrey Bogart e Alec Baldwin; e Joseph Smith, o fundador da Igreja dos Mórmons.

👍 Uma Ideia Descolada que Colou

Em 1970, Spencer Silver, um cientista da 3M Company, decide criar um novo e moderno adesivo. Mas o que ele acaba criando, sem querer, é um adesivo fraco que não cola muito bem. No papel, é uma má ideia.

Mas esse adesivo ruinzinho não desgruda da cabeça de outro cientista da 3M, Arthur Fry. Em um domingo, ao abrir o livro de hinos da igreja, as tiras de papel que ele usa como marcadores caem no chão.

Como que fulminado por um relâmpago, ele se lembra da cola que não cola direito e bola o conceito dos bilhetes que podem ser colados, descolados e recolados conforme a necessidade. Nove anos depois, nasce o Post-it, agora não só extremamente popular, mas inigualável.

👍 Esqueceu as Cuecas e Passou a Ver Tudo Azul

Um jovem chamado Strauss chega a São Francisco em 1853 com o sonho de abrir uma loja de acessórios – vendendo itens como guarda-chuvas, lenços e roupas de baixo. Em suma, não é uma grande ideia. A competição no norte da Califórnia durante a Corrida do Ouro é acirrada. E muitos comerciantes outrora prósperos estão indo à falência.

Mas Strauss sabe reconhecer uma oportunidade. Devido aos rigores da prospecção do ouro, o tecido fino das calças dos mineiros se desgasta depressa. Em resposta, Strauss e o sócio, Jacob Davis, fabricam calças de lona de barracas, inventando a peça forte e durável que se torna conhecida como blue jeans. Hoje, mais de 150 anos depois, essa mesma calça resistente e estilosa leva o primeiro nome de Strauss: Levi.

👍 Um Mofo que Vale Ouro

O bacteriologista Alexander Fleming, fazendo um experimento em 1928 com estafilococos, deixa por distração um conjunto de placas de Petri do laboratório repletas de bactérias perto de uma janela aberta pouco antes de sair de férias. Uma ideia infeliz. Previsivelmente, o vento sopra um fungo do jardim e contamina as placas de cultura.

Mas Fleming possui uma curiosidade saudável. Ao retornar para o trabalho no laboratório, ele decide examinar as placas contaminadas, logo notando que o mofo está destruindo as bactérias. A janela aberta de Fleming abre a porta para a descoberta da penicilina. E, graças a esse "feliz acidente", milhões de vidas são salvas durante as oito décadas seguintes pelo antibiótico.

AGRADECIMENTOS

Gostaríamos de agradecer a Gutenberg por inventar os tipos móveis, a Berners-Lee por ajudar a inventar a Web, a Debora Smith por sua competência como editora e copidesque, a Scott Marsh por seu olho artístico, a Marah Cannon por sua teimosa insistência para que terminássemos o livro, a Jill Marsal por sua crença inabalável em nós, e a nossos novos amigos na Sourcebooks por seu incansável entusiasmo e apoio. Ah, e não nos esqueçamos de todas as mancadas históricas bem intencionadas, mas, em última análise, infelizes, que tornaram possível essa brincadeira despretensiosa.

SOBRE OS AUTORES

Michael N. Smith, como dono de sua própria agência de publicidade, escreveu e produziu centenas de comerciais de tevê, spots e vídeos corporativos humorísticos (e não tão humorísticos assim) durante os últimos 25 anos para uma variedade de clientes nos Estados Unidos. Seu trabalho lhe rendeu numerosos prêmios, entre eles CLIO, ADDY, EFFIE, New York Art Directors e TELLY. Ele também criou o popular personagem Pete the P.O.'d Postal Worker, da história em quadrinhos cult, além de uma paródia em um livro infantil com o mesmo nome. Michael escreveu artigos para as revistas *National Lampoon, National Geographic Kids* e *Men's Exercise* e os jornais *Orange County Register, Los Angeles Times, Buffalo News, St. Petersburg Times* e *San Antonio Express News*. Ele vive com a esposa, Debora, e o filho, Andrew, na Califórnia.

Eric Kasum escreveu discursos para o ex-presidente George H.W. Bush e o chefe de equipe da Casa Branca durante o governo Ronald Reagan e ex-procurador-geral Edwin Meese. Como jornalista, escreveu para o *Los Angeles Times*, o grupo *New York Times Magazine* e a CBS News. Eric também escreveu para um respeitado *think tank* em Washington, D.C. Ele é o fundador e o CEO do Imagine Institute, um *think tank* pela paz, e sediou a conferência Imagine Peace na Universidade da Califórnia, em Berkeley. Seu trabalho já apareceu no *Huffington Post* e em mais de uma centena de jornais e revistas em todo o mundo. Eric vive na Califórnia.

Papel: Offset 75g
Tipo: Scala
www.editoravalentina.com.br